**Franz Josef Noflaner
Dichter Worte.
Gedichte, Prosa, Briefe**

Band I

Franz Josef Noflaner _
Dichter Worte
Gedichte, Prosa, Briefe

mit ausgewählten Illustrationen
des Autors

Band I

Herausgegeben von
Markus Klammer

Mit Texten von
Elmar Locher, Markus Klammer, Verena Zankl

ISTITUT LADIN
MICURÁ DE RÜ

Museum Ladin
Ciastel de Tor

HAYMONverlag

Inhalt

7 Vorwort

11 **Gedichte und Prosa**

207 **Briefe und verstreute Texte**

221 **Anhang**

222 Kurzbiografie

223 Der Nachlass

225 Zur Edition

227 Nachwort des Herausgebers

235 Elmar Locher, Franz Josef Noflaners poetische Botschaften: „halb ein Gebrummel, halb Musik"

245 Verena Zankl, „Die Sonne scheint / so lang die Sehnsucht weint". Franz Josef Noflaners Kampf gegen Windmühlen

260 Verzeichnis der Texte mit Quellennachweis

265 Bibliographie

269 Autoren

270 Impressum

Vorwort

Bis vor wenigen Jahren war Franz Josef Noflaner (1904–1989) unter den Angehörigen seiner Generation im wörtlichen Sinn eine Legende. Lange erzählte man sich Kuriositäten von ihm, und vielfach meint man bis heute, ihn gekannt zu haben. Zugleich sind diese Erinnerungen aber sehr einseitig, denn die Resultate seiner Lebensleistung als Schriftsteller und lange auch die als Maler waren nur Insidern bekannt und öffentlich gar nicht verfügbar.
Vor allem in Gröden, wo er sein Leben lang ansässig war, galt „der Noflaner" als eine außergewöhnliche Persönlichkeit. Dies traf ganz besonders auf die Absolventen der Kunstschule zu, und dazu gehören die Unterzeichnenden, die ihn als einen Künstler kannten, der mit seiner Malerei in Gröden ganz eigene Wege ging. Außerdem stand Noflaner des Öfteren während des Zeichenunterrichtes in der Kunstschule in St. Ulrich Modell. Er präsentierte sich uns als distinguierter Herr, der mit todernster Miene und sich kaum bewegend auf dem Modellstuhl saß. In seinem etwas abgenutzten, aber mit Würde getragenen Sakko erzeugte Franz Noflaner großen Respekt.
Uns junge Leute beeindruckte vor allem, in den Pausen aus seinem Munde zu hören, dass er kein Interesse habe, seine Bilder zu verkaufen. Bestenfalls könne er sich einen Tausch mit anderen Werken vorstellen, beispielsweise mit Willem de Kooning oder Jackson Pollock, den bedeutenden amerikanischen Malern. Uns faszinierte dabei der Wagemut, den Selbstwert seiner Werke mit den damals bereits unglaublichen Marktpreisen zu vergleichen. Mit dem Kontrast zwischen der Fassade aus Anmaßung und der dahinter verborgenen Ernsthaftigkeit hinterließ er einen ganz besonderen Eindruck. Aber auch die Botschaften seiner Dichtung und Malerei waren für uns mehr als rätselhaft, einerseits eloquent und zugleich irgendwie naiv und geistig verklärt oder surreal angehaucht.

Als Franz Josef Noflaner 1989 starb, hinterließ er einen umfangreichen literarischen Nachlass und ein ebenso bemerkenswertes zeichnerisches und malerisches Werk, von dem es – abgesehen von einigen Beiträgen in Kulturzeitschriften und den drei Ausstellungen in St. Ulrich und Bozen – bis heute keine einzige Buchpublikation gibt. Und die vier zwischen 1956 und 1960 im Selbstverlag erschienenen Anthologien Noflaners waren in der literarischen Öffentlichkeit kaum registriert worden. Die große Retrospektive in zwei Teilen über sein Werk im *Museum Ladin* in St. Martin in Thurn und im *Kreis für Kunst und Kultur* in St. Ulrich im Jahr 2012 hat diese Lücke noch einmal bewusst gemacht.
Dem *Museum Ladin* und dem *Istitut Ladin Micurá de Rü* galt das als Auftrag, eine Textauswahl aus seinem unveröffentlichten literarischen Nachlass und sein zeichnerisches und malerisches Werk zugänglich zu machen. Der Umfang und Aufwand für ein solches Projekt machte eine Kooperation erforderlich, diese Edition ist das Resultat dieser fruchtbaren Zusammenarbeit.
Der vorliegende *Band I* mit dem Titel *Dichter Worte* ist dem Schriftsteller Franz Josef Noflaner und seinem literarischen Werk gewidmet. Er vermittelt einen Einblick in eine in der deutschsprachigen Literatur im Lande ziemlich unabhängige Position eines Einzelgängers. Die ausdrückliche Verbundenheit mit der deutschen Sprachkultur und der gleichzeitige Verzicht auf Anschluss an literarische Entwicklungen südlich oder nördlich des Brenners haben Noflaner eine zeitgemäße Aufnahme verbaut. Poesie war für ihn die Sprache des bleibenden Wortes und Gedankens in einer Zeit, die den Anspruch auf Dauerhaftigkeit und Ästhetik verloren hatte. Das 20. Jahrhundert hat eine solche Kontinuität, die für Noflaner unverzichtbar war, unterbrochen. Dichtung war zum Spiegel der Zeit geworden, der Noflaner

die Sprache als Medium zeitloser Bilder und Gedanken entgegensetzte.

Diese Publikation verdankt sich fachlichen, öffentlichen und privaten Beiträgen: Ein Dank geht an den Herausgeber Markus Klammer, der dieses Projekt von Anfang an mit großer Sorgfalt entwickelt und vorangetrieben hat. Seiner Bestandsaufnahme und Auswertung des literarischen Nachlasses folgt diese erste Textauswahl und Zusammenstellung. Gedankt sei auch den Autoren Elmar Locher und Verena Zankl für die aufschlussreichen Textbeiträge und Analysen.
Dem Land Südtirol zusammen mit dem Land Tirol und mitgetragen von Herrn Hans Oberrauch und der Firma Finstral ist es geschuldet, dass diese Publikation in dieser Form erscheinen kann. Unserer gemeinsamen Anstrengung ist es gelungen, den renommierten österreichischen Haymon Verlag zu gewinnen, der ja ein optimales literarisches Umfeld für die Rezeption von Literatur im Spannungsfeld zwischen der Region Südtirol und Österreich beziehungsweise Deutschland bietet.

Stefan Planker
Museum Ladin
Ciastel de Tor
St. Martin in Thurn

Leander Moroder
Istitut Ladin
Micurá de Rü
St. Martin in Thurn

Gedichte und Prosa

Spruch

Niglun und Melanz,*
Athen und Byzanz;
ob Heimat, ob Welt:
Dein Dasein erhält
der fruchtbare Tag –
drum komme was mag!
Sei jung und sei frei
wie Vogel und Schrei.

* Orte bzw. Weiler in Ladinien und Villnöss

Heiligkeit der Unrast

Weite Wege
bin ich schon gegangen;
und es zischten Schlangen
im Gehege.

Stille Sonnen
sah ich schon versinken
und ich mochte trinken
letzte Wonnen.

Alles Leiden
will zu Ende gehen
und den Tod bestehen –
und ihn meiden.

Tausend Fragen
kommen nie zur Ruhe!
Rissig sind die Schuhe
meiner Plagen.

Schweigsam wandern
mit dem Strom der Vielen
nach verwegnen Zielen ...
wie die andern!

Stunden kommen
und die Sterne fliehen –
und die Wolken ziehen
wie benommen.

Von Stufe zu Stufe

Eine Mühle,
die nicht klappert,
ein Kind, das nicht plappert;

ein Bach,
der nicht rauscht;
ein Hase,
der nicht lauscht;

eine Blume
die nicht duftet;
ein Esel,
der nicht schuftet;

ein Dieb,
der nicht lügt;
ein Lump,
der nicht betrügt;

ein Metzger,
der nicht schneidet;
ein Heiliger,
der nicht leidet;

ein Himmel,
der nicht ist:
Sind der Erde
Spuk und Mist.

Unerreichbare Zinnen

Was im Sein alles enthalten ist,
das beweisen uns Leben und Tod;
und doch will der menschliche Geist
magische Brücken selbstherrlich schlagen
oft von Ort sich zu Ort:
Als ob er der Schöpfer
von Erde und Himmel gar wäre.

Uns zitternden Seelen
gehen die Augen oft über
und summen und brummen die Ohren
vor der Dinge allmächtigem Trieb
aus der Enge zu treten
heraus in den leuchtenden Kreis
von Gesetz und Geschichte.

Wir möchten uns selber verwandelt
erblicken vom Durchschnitt zum Hochwert!
Jedoch die geschlagenen Stunden
erfahren uns grämlich und alt;
statt daß vor den Spiegeln der Zeit
wir, Jünglinge, Jungfrauen, stünden
geharnischt zum Streit mit dem Chaos.

Bald werden die Zungen verstummen
uns, die mit den Engeln gerungen
um Helle und Weite der Himmel!
Bald wird sich das Ende begeben
von allen geliebten Passionen,
die unsere Seelen entzückten!
Bald wird sich die Tragik erfüllen.

Äußerstes Leid

Das Glück verließ
mich mit verwöhnten Augen.
Es hielt mich wohl
für einen kranken Mann.

Gott ward nicht Ich,
Gott blieb Unendlichkeit.
Dem kleinen Menschen
war die Kraft zu groß.

Groß ist der Schmerz,
den wir nicht recht verstehen;
wenn blind die Jahre
rollen aus dem Nichts

dem Abgrund zu,
der tausend Seelen frißt,
ob sie ihm Kinder
oder Greise wären.

Er frißt auch dich;
und macht dich zum Vasallen
der Finsternis,
die ohne Gnade ist.

Schon hat mein Mut
mit Not und Tod gerungen.
Erschüttert denk ich
der verhaßten Zeit.

Was soll ein Himmel,
dem die Sterne fehlen;
was soll ein Reiter,
dem's am Pferd gebricht?

Ich hab die Sonne
mir ins Herz gerufen –
und aus den Wolken
leuchtete der Blitz.

Seen der Vergessenheit

Es regnete lang.
Meine Seele ward trübe!
Von verlorenen Sternen
ward leer mein Gemüt.

Deine Augen wie Kirschen
so dunkel! Die Lippen
wie magisches Blitzlicht!
Das erregte das Blut.

Bin ich wieder der Dulder
verwilderter Zeiten?
Was die Erde nicht gibt,
das versagt mir der Mond.

Doch verbotene Wege,
sie führen zum Tode!
Wer das Leid nicht begreift,
der verdammt seine Spur.

In sich selbst sich verdenken
wie ein indischer Gott.
Führt mich das wohl zum Frieden,
oder führt es zum Staub?

Letzte Dinge am Horizont

Die Schlange schlief,
ihr Denken war so tief.
So schön ihr Traum
von Mond und Apfelbaum.

Den Zauberstab
riß Sehnsucht aus dem Grab –
und sprach dem Licht
das göttliche Gedicht.

Ich bin das Kind
in dem die Sterne sind!
Die Unrast bin
ich von Geduld und Sinn.

Mein Glück ist weit
im Rausch der Einsamkeit!
Der Melodie
ein wunderlich Genie.

Wo blüht das Land
zur bunten Blumenhand?
Ich weiß mir nur
zu Ziel und Tod die Spur.

So gab ihr Mund
sich Geist und Weisheit kund.
Von Ort zu Ort
empfand sie Trieb und Wort.

Kein andres Feld
als das der weiten Welt
erkannte sie
als Reich von Was und Wie.

Mir blieb der Klang
noch lange im Gesang.
Dann ging auch heim
der Seele tiefster Reim.

Ich ging in Ruh
der nächsten Stimme zu.
Denn müde war
noch lange nicht das Jahr.

Der Mutterleib
ist nicht nur für das Weib.
Er ist dem All
gegeben überall.

Kampf ums Dasein

Poesie entzieht den Boden
der Zeit –
und wird Geschichte.

Geist entzieht den Boden
der Phantasie –
und wird Zeit.

Nichts blüht zu lange, kein Morgen,
kein Jetzt –
und das Fest verstummt.

Wer möchte verzagen
im Rausch der Tat
vor dem Sieg?

Uns alle ereilt die Woge
der Welt
mit Verwirrung oft.

Doch die Menschenseele
bewahre sich
vor dem Fall.

Was hoffst du mehr von der Stunden
Gewalt
und ihrem Wesen?

Der Tag will bestimmen
die Richtung uns
vor dem Herrn.

Kreuzotter

Mein tückisch Auge spaltet Baum und Stein!
Ich kann dir Gift und Galle tödlich sein.

Wen ich erwische, der hat es mit mir:
Ich bin ein tödlich angriffslustig Tier.

Von Stein zu Stein erwisch ich meine Mäuse,
den Vogel jung, die Schnecke im Gehäuse.

Und Tag und Nacht lieg ich oft auf der Lauer,
im Wahn erstarrt der unbegrenzten Dauer.

Hier ist's mein Los, zu streiten mit dem Fisch –
bis ich die Schwalbe dann im Nest erwisch.

In Föhrenwäldern hab ich meinen Bau,
und bin das Männchen ... tückisch ist die Frau.

Gezeichnet hat der Schöpfer meine Stirne –
und ähnlich in der Stadt ist mir die Dirne!

Mein Zischen schreckt den Hirten aus dem Schlafe –
und ist er klug vertreibt er mir die Schafe.

Doch kommt die Nacht im Honigmondenschein
will ich der Liebsten trauter Buhle sein.

Ein giftig Tier hat seine Ehre auch –
und meine Ehre ist der volle Bauch.

Männliche Begegnung

Er sah mich an,
ich war kein Himmelsbote,
ein alter Mann
mit einer jungen Note.

Er stand, ein Kind,
doch schon auf hohen Füßen!
Mich ließ der Wind,
von fernen Tagen grüßen.

Die Jugend, so
sah ich auf meinen Spuren –
und irgendwo
sich ähnlich die Naturen.

Mehr war nicht wahr!
Ich, als ein alter Knabe,
im neuen Jahr,
war schon ein weißer Rabe.

Der Frühling lag
in seinen Kinderaugen!
Mir schien der Tag
mit ew'gem Ernst zu taugen.

Ein Spiegelbild,
das ich mir hatt' gefunden,
verklärte mild
die Öde meiner Stunden.

Dann schied ich schnell
um meinen Weg zu finden!
Das Land stand hell
im Kranz der kahlen Linden.

So altert man!
So nimmt man seine Bahnen
vom Leben an –
und lernt das Ende ahnen.

Der Delphin

Was ist Musik, was Tanz und Wellenschlag?
Ich schwebe hin auf göttergleichen Wogen,
bald kommt die Wolke, bald der Sturm geflogen
und lustige Winde säuselt mir der Tag –
und niemals hat der Kunde mich betrogen.
So bin ich fröhlich durch das Meer gezogen.

Wie lange ist das her schon, daß ich bin?
O, ganze Zeiten, halbe Ewigkeiten
weiß ich mich tüchtig durch die Wogen gleiten;
und ohne Rast und Ruh flitzt es dahin,
mein Flossenspiel, in unbekannte Weiten,
die sich wie endlos um die Strömung breiten.

Haifisch und Walfisch säumen meine Spur!
Ich fürchte nicht den Kampf, und nicht die Klippen
und sause hin, in meinen sechzig Rippen,
ein braves Kind der tückischen Natur,
um von den Schalen Neptuns leicht zu nippen –
und auf und ab behende mich zu wippen.

Von Strand zu Strand erfahre ich Genuß
und Gegenwart, Begegnung, Freundschaft, Treue
und wie fürs Alte schwärme ich fürs Neue
nach meiner Notdurft dringendem Entschluß –
und leide keine Selbstsucht, keine Reue:
Daß sich die Flut an meiner Demut freue.

Ein edles Kind bin ich der holden Schar.
Wir wissen uns zu dulden und zu meiden;
und ist das Wetter schlecht, vereint das Leiden
bald die Familie ernst und wunderbar.
Es gilt das Fest vom Tod zu unterscheiden –
den Fluch erträgt man in den Eingeweiden.

Trockener Kaktus

Von Schiff zu Schiff
reicht meine Gegenwart.
Ich bin das Meer –
und Sturm ist meine Fahrt!

Mein Kellerloch,
das ist des Haifischs Haus;
und Sattel noch
am Dünenstrand die Laus.

Der Kaktus sticht,
jedoch nicht ohne Mai ...
Ob mein Gedicht
euch nicht der Teufel sei?

Würdiger Triumph

Einen Weg, der nicht lügt;
eine Welt, die nicht hadert;
und eine Zeit, die nicht hinhält:
Sie alle drei zu einem leuchtenden
und sieghaften Ziel verbinden.
Sie sollen uns ein standhafter Glaube,
ein fröhlicher Sieg
und eine strahlende Unsterblichkeit
sein in der heiligsten Liebe.
Glückauf, mein Herz!
Nur ungescheut, Glückauf!

Beweise

Zuerst erfahr':
Die Melodie ist jung,
alt die Gefahr,
schwach die Erinnerung.

Und dann erkenn':
Was einer nicht vermag
bleibt ihm ein Wenn
im feierlichsten Tag.

Wer sich bemüht
um einen toten Gott,
der stirbt im Lied
an seinem eignen Spott.

Nur die Natur
ist nimmer voller Gram
für eine Spur,
die dir zustatten kam.

Hoch steht die Welt.
In Städten aufgebaut!
Der Träume Feld
schwebt um das Bild der Braut.

Voll Wissen sein,
auch bei der Liebe Spiel.
Kein Knecht der Pein,
kein Schwärmer ohne Ziel.

So resolut
der Dinge Lauf verstehn;
mit kühlem Mut
durch heiße Wüsten gehen.

Was ist muß sein
und was geschieht geschehn,
das sieh wohl ein!
Mein Freund, auf Wiedersehn.

Weggeworfener Pinsel

Man steckt nichts auf
und steckt nichts ein mit Bildern.
Uns will der Lauf
der Gegenwart verwildern.

Die Welt ist klein,
in der wir uns bewegen!
Und Kampf will sein
auf allen Friedenswegen.

So klingt das Lied.
Die Zeit rührt ihre Schellen.
Wer Freuden mied,
dem wird die Gorgo bellen.

Es rächt Natur
das Gute wie das Böse.
Auf jeder Flur
gibt's Gimpel zu der Größe.

Und noch ein Mal
erinnern wir der Stunden
von Lust und Qual
uns bei der Liebe Wunden.

Jahr folgt dem Jahr.
Zwölf Monate entwischen
so wunderbar
wie Wellen mit den Fischen.

Du glaubst den Stein
wohl auf den See zu heben;
doch wird er fein
in grüne Tiefen schweben.

Wahrheit des Menschenkindes

Das Alte ging, das Neue blieb.
Wer will die Schlange reiten?
Die Stunde ist der Träume Dieb,
der Tod der Dieb der Zeiten.

Ich wetze meine Phantasie
wie eine alte Sense!
Das wirft die Halme übers Knie
und jagt davon die Gänse.

Wir haben eine schöne Spur
von herrlichen Gebäuden;
Empfindungen, Wesen und Natur,
so nennen sich die Freuden.

O Gott, es ist schon lange her
daß sie die Sterne zählen.
Die Sehnsucht lockt mich nach dem Meer,
wenn mich die Menschen quälen.

Lob der Sichtbarkeit

Schlag die Winde in der Seele;
Reich die Hände in die Zeit!
Daß dir nicht die Rose fehle
zu der Wärme, die befreit.

Frage nicht nach Zeit und Ort
und nach Menschen frage nimmer.
Diese Plage, dieses Wort,
alles ist ein kurzer Schimmer.

Heldentum der Poesie
Will auch keins zuwege kommen.
Deine Götter siehst du nie
und kein Kunde will dir frommen.

Einzugehen in das Reich
aller herrlichen Ideen?!
Laß die blöde Phrase gleich!
Sehen mußt du lernen; sehen.

Was die Melodie versprach,
Echo selten hat's gehalten.
Wirf nur Steine in den Bach –
doch wirst du nicht Wellen spalten.

Einigkeit ist in der Tat,
die die Augenblicke schichtet.
Doch wer nie gesungen hat
Weiß auch nicht ob er je dichtet.

Unmögliches sollst du meiden
und das Möglichste verstehn.
Von der Torheit Scherben scheiden,
nach der Klugheit Brunnen gehn.

Ein Maler sein

und Abschied nehmen von den Tintenflecken;
sich des Mitleids der Mitmenschen erwehren;
nicht zu viele Einwürfe von Pfuschern, Kennern,
Kritikern und Könnern einstecken müssen;
sondern seinen Durchgang zur höheren Moderne
der Tat und des Abenteuers finden;
durch einen Zufall weder vom Gerüst fallen,
noch über Nacht graue Haare zu kriegen
oder durch einen krankhaften Anreiz innerhalb
weniger Wochen zahnlos zu werden;
und nicht durch den Vorschlag eines Ministers aller
kriegerischen Parteien impertinenter Leibmaler zu werden:
Den und jenen Umstand aber rechtens erwägen:
Wie man zum Beschluß einer notorischen Lehrlingszeit
ein Held auf dem Parnaß würde und bliebe ...

Die Zeche
(Zu einem Lichtbilde)

Die schwarzen Öfen in den Äther ragen;
um ihre runden Bäuche kriecht der Rauch
und wälzt sich durch die öde Landschaft auch,
vom schwachen Wind hinauf ins All getragen.
Voll trüber Wolken stiert der Himmel auch;
Es kocht die Luft mit ungesundem Hauch.

Im nahen Flusse spiegeln sich die Schlote.
Fast lautlos fort durch sein Gebette fließt
der Städter Bach, drein die Forelle schießt.
Des Winters Eis liegt harschig noch im Kote,
kein frühes Blümchen durch die Schollen sprießt;
kein Vögelein noch einen Wurm genießt.

Wo tausend Masten aus der Landschaft ragen,
fern Güterwägen rollen im Geleis;
da schaffen Menschen, welche rief der Fleiß.
Gereihte Kisten braune Kohle tragen!
Wie hat es gut, wer nur von Stuben weiß –
und dienen muß in Spannung nicht dem Schweiß.

Am Tor die Männer halb erfroren sitzen,
darauf bedacht zu machen ihre Schicht –
und sollten sie erliegen ihrer Pflicht;
sie auf den Lohn, sich zu erhalten, spitzen ...
Sonst wär zumute ihnen sicher nicht
zu steigen in die Gruben mit dem Licht.

Es stinkt die Luft in der bewegten Gegend,
Gestank ist da, ist unvermeidlich dort,
an dem benutzten menschenstrengen Ort;
wo an der Arbeit müht das Volk sich regend,
begierig nach des Schaffners gutem Wort
in einem fort, in einem, einem fort.

Zuerst war das Lied

Wie im Jammer sich die Dinge wenden
Mußt du nicht verstehen ohne Spiel.
Nur die Stille führt im Sturm zum Ziel,
nur die Einfalt ist ein Kinderspiel!
Rühre dich mit tatgewohnten Händen.

Was die Zeiten aus den Tiefen schöpfen
bricht sich Bahn in Eifer und Manier.
Der Erfolg, das vielgekrönte Tier
zeigt sich dort und überwintert hier.
Schicksal blüht verlassenen Geschöpfen.

Meine Stunde rüstet wie die deine
Immer sich für einen letzten Fall.
Der Gedanke flüstert überall
Und die Sorge bleibt ein Nebelschwall
Über der Erlösung der Gebeine.

So umflutet überall das Leben
die Erfahr'nen und das kleine Kind.
Weil wir alle auf der Woge sind,
wie die Beere und der Säuselwind!
Keine bessre Lösung kann es geben.

Dir dauernder Trost

Nicht einer will mir sagen
was die Geschichte soll.
Die grausen Nebel jagen
so wild und unruhvoll.

Ach, daß im Ungewissen
die Seele irrt und wankt!
Statt daß sie dem Gewissen
die feste Haltung dankt.

Ich finde keinen Funken
der mir bewegt den Geist.
Von Gram und Trauer trunken
mein müdes Herz zerreißt.

Der Kummer will mich plagen ...
Was murrst du ohne Schluß?
Was will dein Herz verzagen?
So stöhne kein Verdruß!

Der Mensch hat zu gewinnen
was ihm die Erde schenkt;
und Gottes Engel spinnen
die Gnade, die ihn lenkt.

Erfinde dir ein Schweigen
wenn jede Faser schreit
nach der Vollendung Reigen
im Kreis der Ewigkeit.

Chaos und Melodie

Schlafe nicht auf traumerschöpften Wegen,
jeder Tag hat seine neue Spur.
Gott ist in der Ewigkeit zugegen
und im Willen ist es die Natur.

Fordere vom Dasein seinen Segen,
aber nicht zu deinem Dünkel nur.
Immer wird sich dort ein Funke regen,
wo der Staub das Geistige erfuhr.

Mache dich zum Fisch nicht ohne Flossen,
nicht zum Vogel, den der Wolf geschossen;
tu dein Tagwerk frei und unverdrossen!

Wer sich auf den Staat nur will verlassen,
den wird einmal die Geschichte hassen –
oder ihn im Schatten stehen lassen.

Fernweh

Wohin?
In die Lust der Welt, in die Weite,
dem fröhlichen Glück an der Seite.
Dahin!
Erlöst aus der Finsternis Ketten,
die Freude der Stunde zu retten
geht es fort
aus dem Ort.

Nicht mehr
aus der Not eine Tugend machen
will mein Herz beim gröhlenden Drachen!
Daher
ersucht es des Schicksals Gestirne
zu beugen die mächtige Stirne
doch einmal –
meiner Qual.

So ist
mein Gemüt wie vom Blitz geschlagen
bestrebt seinen Hort zu erjagen
zur Frist.
Oft trügen der Nähe Gestalten,
oft lügen der Hoffnung Gewalten ...
ob man meint
wie es scheint.

Genug
irrt die Sehnsucht oft für und wider
im Rausche der Zeit und der Lieder;
nicht klug
geheizt in die weitesten Kreise,
beschwingt in der hitzigsten Weise
auf der Flur
der Natur.

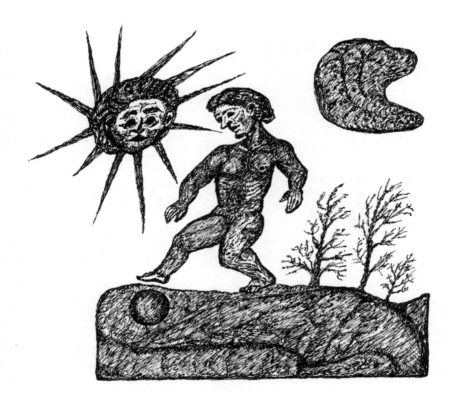

Das leuchtende Bild

Bürge für die Gegenwart der Sterne,
handle für die Wirklichkeit der Zeit.
Buhle um die Neuigkeit der Ferne,
sei dem Wissen und dem Wahn geweiht.

Fügst du dich, hat es die Menge gerne
und ihr Lob ist deinem Tun bereit.
Wer die Wolken unterscheiden lerne
sei im Lichte von der Nacht befreit.

Daß dir das Verlangen nicht ertrinke;
daß dir die Erwartung nicht versinke;
sich zu Tode dein Gefühl nicht hinke!

Alle Guten hat das Glück gerufen.
Zage vor der Ungewißheit Stufen!
Folg der Stimme, die du aufgerufen.

Verblendetes Gefühl

Wir haben keine
fromme Melodie.
Die Phantasie
trägt keine Steine.

Wir sind geboren
ohne Übermut.
Die Welt ist gut –
für uns, die Toren.

Wir schultern Lasten,
überstürzen sie.
Wir ruhen nie,
bis leer wir tasten.

Unblutiger Streit

Alle Wege gibt es schon auf Erden,
aber keiner will der rechte sein.
Überall umgibt dich das Gestein!
Manchmal naht die Jagd auf wilden Pferden.

Tag für Tag erfinden sich Beschwerden
deiner Seele zur verjüngten Pein.
Gott verließ dich – und du bist allein
um der Schatten Flüchtling oft zu werden.

Weil das Glück der Jugend dich verließ,
weil das Glück der Reife dich verlassen!
Weil der Mond dich von den Sternen stieß!

Und du willst die ganze Schöpfung hassen,
weil sie dir versprochen manchen Segen
nur, um deine Bitterkeit zu pflegen.

Lord Cumberland

Ich bin müde;
müde der Welt und müde der Zeiten!
Innere Gluten, sie blühen nicht mehr.
Alles bleibt Zufall, Anfang und Irrtum!
Nimmer erreichst du den Lorbeer des Siegs
und die Rosen des Glücks.
Gewissen zu haben ist traurig und schwer ...
Die Erde vergeht mir unter den Füßen,
der Himmel entrinnt mir
über den glitzernden Sternen.
Was ist das Ich?
Was ist denn die Seele?
O, sagt es mir, Brüder und Schwestern;
erklärt es mir doch.
Auf daß ich mein Unheil
ins Bessere wende;
Wenn die düsteren Schatten der Nacht
ihre eiskalten Fahnen entfalten:
Von den Schrecken der Qual
in die Helle des Tages herüber.
Sonst verlach ich den Frieden,
veracht ich das Wesen der Welt –
und verfluch ich den Glauben.

Erkanntes Erlebnis

Der Nase nach –
und nicht dem Untergange.
Groß ist die Schmach
von allem falschen Zwange.

Die Lerche sprach
ihr Märchen im Gesange.
Mir wurde schwach
und um den Weg so bange.

In Heldenmut
bin ich nicht grad geübt
bei Leib und Blut.

Wie es das Ganze gibt
gibt es auch mich
so, zwischen All und Ich.

Ausgeglichener Schwank

Mag es sein
daß sich die Höhen klären;
und im Schein
wir Gottes Sein verehren.

Lied und Bild
sich ohne Not verstehen;
bis wir mild
durch Raum und Welle gehen.

Trifft es dich
dann lerne dich betragen!
Wer verglich
den Sturm nicht mit dem Jagen?

Runen sind
uns allen eingeschrieben;
wer ist Kind
nicht seiner Zeit geblieben?

Die Idee
naht von verschiednen Seiten,
uns zur Höh
die Breite zu bereiten.

Grund und Baum,
Gefühl und Atmosphäre:
Tand und Schaum
sind des Vergehens Lehre.

Bis im Kreis
sich die Gewalten finden
schwarz auf weiß
im Trennen und Verbinden.

Drum und Dran
muß manches sich ergeben
auf der Bahn
von Schlummer und Bestreben.

Ich und Drang
vereinen sich zum Wahren.
Der Gesang
will Rätsel offenbaren.

Welt und Stern
sind aus dem Raum geschnitten,
daß wir gern
sie um Verzeihung bitten.

Brüte nur
nicht lang an Straußeneiern:
Die Natur
Will ihre Jugend feiern.

Körbe den Wolken

Ein Roß ist gut,
das kühne Sprünge macht;
und aus der Glut
das tote Glück entfacht.

Die Hand ist weit
gestreckt ins Übersein ...
Unendlichkeit
zieht Rock und Fächer ein.

Die Phantasie
ruft ihren Gaukler sich
zu Melodie,
Beruf, Genie und Ich.

Im Wogengang
der Stunden mannigfach
wird ein Gesang
dir in der Seele wach.

Und Stimmen sind
lebendig ungezählt:
Dort wo der Wind
jetzt Baum und Quell' vermählt.

O Seligkeit,
die ohne Grenzen ist,
wenn Kampf und Leid
das müde Herz vergißt.

Wortlos empfängt
die Sehnsucht Traum und Ziel;
zwei Kleider hängt
sie um sich: Glück und Spiel.

Du, Menschlein, weißt
was Möps' und Schafe sind.
Licht bleibt der Geist –
und Sphärensang der Wind.

Gewohnte Methode

Wer soll sich häuten?
Alle sind wir auf
und sind wir reif
ein Heil zu saugen
um Haut zu tragen
oder Fett zu setzen
gebildet an ...
als müßte uns der Lorbeer
vom Staube wachsen
auf zu Wunderstauden.

Doch wenn die Hölle
ihre Tränen will,
dann rauscht die Stille
und dann wächst der Ekel
uns wie ein Geschwür
beiläufig an;
im Innern zehrt die Krankheit
der Ungewißheit
vom Mutterleibe
der Vergänglichkeit.

Und graues Unheil ist es,
was uns zur Erfahrung
und blinden Hoffnung
wird unseres früheren Irrsinns.
Die Träume schweigen
von der Jugend Bildern.
Die Wünsche harren
weit von jeder Seele
im Dunkel aus.
Und tausend Rätsel
gaukelt das Verhängnis
in wilden Tänzen
um uns her der Weltnot.

Dann muß der Wille
seinen Engel suchen
mit schnellen Schritten ...
ob aufgerieben
ihm der Glaube ward
von hundert Henkern.
Daß sich das Chaos
an das Licht nicht wage
mit Drachenmäulern!
Soll die Empfindung
bei den Spielern bleiben
der Selbstbegnadung.

Sonett der Spätzeit

Hin und wieder hält es der Gedanke
ohne Unterbrechung mit dem Glück;
fürchtet keine Mauer, keine Schranke,
fällt in keine Dunkelheit zurück.

Ob die Erde seinen Füßen wanke
in der Wirklichkeit empörtem Stück!
Heitre Wehmut blüht wie eine Ranke
an der Stunde grauer Dulderbrück.

Laß dich von den Dingen nicht betören,
lerne ab den falschen Werten schwören,
auf die Stimmen heißt's der Ordnung hören.

Wem gezischt des Unglücks freche Schlangen,
wem die Schatten aus der Tiefe sprangen,
der entwöhne sich dem bösen Bangen.

Aufgestörtes Lüftchen

Der Käfer lief vor Mitternacht
herum im blinden Hof.
Er war, der Sternenpracht bedacht,
ein halber Philosoph.

Mir ging des Wundertäters Schritt
beinahe an den Leib.
Ich gab dem Tierlein einen Tritt
mit leichtem Zeitvertreib.

Dann trug mich die Geduld nach Haus
wie ein ermüdet Kind.
Die Fabel ist vom Käfer aus –
und auch vom Mann im Wind.

Komm selige Begeisterung
von Luft und Raum und Licht;
entreiße der Erschütterung
das brüchige Gedicht.

Sonett eines schwierigen Tages

Ich werde noch auf diesem Wege bleiben,
den mich die Wünsche ohne Ende treiben.
Halb ist's ein Anfang, halb ist's ein Vergessen,
was ich im Leben da und dort besessen.

Mir soll kein Esel die Gebote schreiben,
wenn die Gedanken ohne Fahne bleiben!
Mag mir die Sehnsucht oft das Unglück fressen,
auf aus dem Streit steht wieder sie indessen.

So wird mein Stückwerk aus dem Brand gerettet,
der die Vernichtung mit dem Tod verkettet ...
ich habe nie um Spiel und Tand gewettet.

Mag sich die Erde um die Sonne drehen
in einem stürmisch rasenden Geschehen;
mög' mich die Gottheit ohne Zorn verstehen.

Politisches Sonett

Was ich nicht verstehen kann
will mich immer wieder plagen;
und ich wäre doch ein Mann,
den der Sehnsucht Wolken tragen.

Die Gewalt hat ihren Plan
wo der Hoffnung Palmen ragen!
Böse Zeit wetzt spitzen Zahn,
willst du um Vollendung fragen.

Nach dem besseren Gedicht
muß der Dichter Ausschau halten,
Ruhm und Schönheit zu entfalten.

Doch der Alltag will Gewicht,
Maß, Entschluss – und keine Phrasen,
die dem Staub zum Kampfe blasen.

Der kleine Jammer

Es pfeift der Wind
um Haus und Stubenfenster;
ein toller Bursch
des endenden April …
Weh tut das Herz mir,
weh von wunder Liebe.
Wann wird der Balsam
mir von oben träufeln?

Ob Huld, Gewährung
lange zu vermissen
noch mir geboten
sein wird von der Hölle?
Nie hat zum Frieden
mein Gemüt gefunden.
Soll ich der Kranke
denn für immer sein?

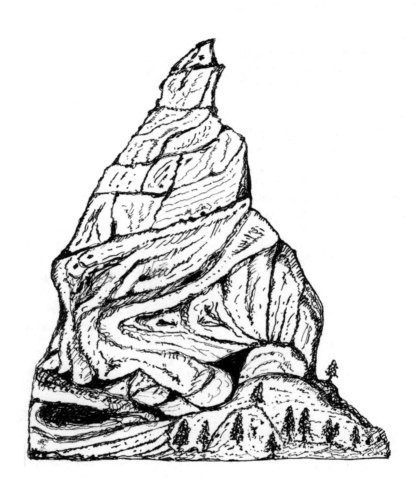

Heimkehr des Lichtes

Der Wald steht kahl, die Lust verging,
der Sommer ist verblichen.
Der Herbst brach in den grünen Ring
mit grauen Zauberstichen.

Ich bin ein Sterblicher wie eh
und meine Seele leidet,
daß jede herrliche Idee
mit leichten Füßen scheidet.

Doch kann das Leben nie zurück
in ältere Regionen!
Die Zukunft baut allein am Glück,
in dem die Engel wohnen.

Ein Ruhm ist die Vergänglichkeit,
jedoch nie lang zu preisen!
Wir werden in die Ewigkeit
auf Schattenflügeln reisen.

Besinne dich auf Stund und Tag,
an dem die Rosen blühten:
Was auch das Morgen bringen mag:
Die Freuden, sie verglühten.

Und nur ein neues Fest der Welt
kann deine Angst ersticken,
an dem der Frühling Einzug hält
mit stolzen Siegesblicken.

Natürliche Aufgeblasenheit

Zum Vater hab ich den Tabak,
zur Mutter die Rosine,
zum Mittelpunkt das Lumpenpack,
zur Göttin die Maschine.

Zum Heiligen den Schabernack,
zur Mode die Routine,
zum Lorbeerkranz den Bettelsack,
zur Schwedin die Cousine.

Mein Himmel ist ein Nebelmeer
gespannt auf siebzig Leitern;
die Ewigkeit läßt erdenschwer
mich an der Größe scheitern.
So will das Nichts zum Ungefähr
sich massig mir erweitern.

Reigen der Lüfte

Der Menschen Leben
ist ein kurzer Traum
und großes Streben
nach dem letzten Raum.

Ein sich Ergeben
in der Freude Schaum!
Ein Gottbeleben
in der Würmer Raum.

Wie du gefangen
in dein Schicksal bist
mußt du verlangen

daß es wirklich ist!
Was man gesungen
ist so bald verklungen.

Versagte Seligkeit

Rosen glühen, Lilien leuchten,
meine Seele schreit nach dir:
Phantasie und Sorgentier!
Tränen meine Wangen feuchten.
Ich bin einsam und allein,
wie das Veilchen vor dem Stein.

Pfade in die Ferne weisen,
aus der Heimat in den Sturm!
Hinter Hügeln ragt ein Turm.
Mir will es das Herz zerreißen,
daß im Innersten entbrannt
ist ein Wunsch, den ich verkannt.

Meine Sehnsucht läßt mich nimmer
stille stehen unbeglückt.
Mädchen, mach mich nicht verrückt.
Gönne einen kleinen Schimmer
in der Qualen grauer Nacht
dem – der schlecht sein Glück bedacht.

Eilen will ich; und dich fangen,
die mir lang entwichen ist!
Die mich treulos sonst vergißt!
Haben will dich mein Verlangen,
küssen möchte dich mein Mund!
Wäre Gott mit uns im Bund.

Heimkehr

Die Ferne rief dich;
und sie zog dich an.
Und war dir Neuigkeit
und Strand und Meer.

Und bist du endlich
wiederum daheim,
dann fügt die Stille
sich zum letzten Reim.

Aus bleibt der Klage
dunkler Tränenstrom.
Zum Schlaf der Tage
wölbet sich sein Dom.

Und Fialen, Säulen
träumen ohne Licht
von großen Räumen:
Himmeln und Gericht.

Dein Sinn erholt sich
in der Ruhe Spiel.
Dein Geist verjüngt sich
an des Friedens Tisch.

Beziehungen zur Mitwelt

Sein Körnchen Mut,
sein Häufchen Glut:
Das macht beflissen!
Der Tage Gang,
der Dinge Klang,
die lernst du wissen.

Vom Abece
solls in die Höh
der Sprache gehen!
Aus O und Ach
im Ungemach
nicht Schlangen drehen.

Bei Muße sein;
zu Lust und Pein
den Weg erkennen!
Wie überall
zu Sack und Ball
die Hunde rennen.

Wie da und dort
zu Wink und Wort
die Salben heilen;
von Anfang an
regiert der Wahn
der Narren Meilen.

Die Welt ist gut;
ihr Übermut
doch gibt zu leiden ...
Bald setzt es Kraut,
bald knirscht die Haut,
bald heißt es scheiden.

Apostel sein,
das wäre fein.
Doch sollst du schweigen
wenn innerlich
dein heißes Ich
läßt Drachen steigen.

Ebbe und Flut

Ich habe in den Lenz geblüht
und in die Zeit gegriffen;
und mein lebendiges Gemüt
als Weltgeschick begriffen.

Oft war's ein Tag wie jeder Tag,
ein Jahr wie andre Jahre!
Und manchmal war ein Schicksalsschlag
ein Nagel mir zur Bahre.

Ich aber lebe heute noch
und spinne meine Träume!
Das Leben hat sein Rätsel doch
so wie der Wald die Bäume.

Zu singen und zu sagen ist
vom Glück nicht lange Weile.
Wer sich ans Irdische vergißt
seh zu daß er sich heile.

Uns Menschen treibt das dunkle Blut
nach einem hell'ren Morgen.
Und Gottes Wille, der ist gut
für Wunder und für Sorgen.

Die Stimme will der Einsamkeit
oft meine Seele plagen!
Ich aber habe keine Zeit
mich mit der Qual zu schlagen.

Gezacktes Sonett

Alle Wege bin ich schon gegangen,
manche Wurzeln starrten wie die Schlangen.
Hin und wieder trieb mich das Verlangen
Güte von der Größe zu empfangen.

Dunkles Irren packte mich beim Kragen,
statt mir Wahrheit für die Kunst zu sagen,
in der Stille himmelsnahen Tagen!
Hohen Wolf sah ich die Taube jagen.

So verloren sich die schönsten Stunden,
die ich, mit Geschick, so so gefunden.
Ich vergaß der Wünsche und der Wunden!

Nimmer kehrt die alte Laune wieder.
Neue Sehnsucht fährt durch meine Glieder –
und der Tanz der Welt ist mir zuwider.

Erlahmende Schwingen

Ich bekenne
daß ich elend bin!
Denn ich kenne
keinen festen Sinn.

Kenne Wandel,
Wechsel, Untergang!
Drang und Handel,
Schweigen und Gesang.

Alle Fluren
Haben ihre Lust!
Alle Spuren
sind in meiner Brust!

Was die Sage
in die Zeiten mischt
ist die Plage,
der der Schmerz erlischt.

Nacht und Morgen
reichen sich die Hand.
Doch verborgen
schützt der Gott das Land.

Zu den Sternen
gläubig aufgeschaut –
und die Ferne
bald im Lichte blaut.

Schwellende Frucht

Der Wald liegt grün,
es blaut die Höhe.
Der Abendfriede
schwingt im Tal.

Ein schwacher Ruf
noch zwitschert leise
aus den Gebüschen –
und Stille weilt.

Geh heim, o Seele,
heim in die Treue
des tiefen Schlummers;
so ruh dich aus!

Bis die Gestirne
dann in die Tiefen
aufs neue weichen
dem hellen Tag.

Milchstrassen rauschen
zum Lob des Schöpfers
Titanenlieder
von Sieg und Fall.

Devise

Was ist ein Wert denn
und was ist denn keiner?
Hegt der Gedanke
Welten in der Brust?

Auf, auf; Besinnung,
aus dem Wesenlosen,
dem Traum entgegen –
aus dem Traum wird Form.

Nur was gestaltet
läßt sich auch beseelen!
Nur was geworden
atmet ein Erscheinen.

Nur Sein zu sein
ergibt die Parallele
der Ewigkeiten:
Anfang, Mitte, Ende.

Schatten der Wahrheit

Ich sprach mit dir ...
Was sagte denn dein Wille
vom wilden Tier
und einer zahmen Grille?

Mir war es schier
als ob mein Wahn sich stille!
Die Welt war hier –
und näher noch die Stille.

Dann sah ich ein
wie sich die Dinge wenden
der Lust und Pein

im Kreis von g'raden Wänden.
Mein Selbst entstand,
ein Geist, in Geistes Hand.

Spuk und Raum

Wo gähnst du hin?
Verschließe deine Lippen
zu einem Sinn
der Wogen und der Klippen!

Wer ist der Held,
dem alle Berge weichen?
Wem liegt ein Feld,
mit aller Völker Zeichen?

Das große Meer
der ewigen Gestade
ist um uns her
der Flüche und der Gnade.

Geduld und Spur,
sie müssen sich vereinen
zur Gottnatur
des Ewigen und Einen.

Glaubst du ein Mal
der Sonne zu errichten:
Laß dir die Qual
doch von der Liebe schlichten.

Unendlichkeit
mußt du nicht schlucken wollen;
blind durch die Zeit
nicht wilde Träume tollen.

Doppelter Besitz

Berühmt zu sein
ist eine große Kunst.
Verkannt zu sein
ist eine böse Gunst.

Geliebt zu sein
ist eine Hexerei.
Verliebt zu sein
ein Traum – und Pech dabei.

Die Schwalben ziehn
der Hoffnung manche Spur.
Die Wolken fliehn
um Berg und Wald und Flur.

Tief einsam sein
ist eine stille Not!
Die Welt ist dein –
und dir gehört der Tod.

Drum trachte du
daß er dein Feind nicht sei!
Und in die Ruh
dich wiege die Schalmei

der Leidenschaft,
die vom Vergehen klingt –
und deine Kraft
oft in Verwirrung bringt.

Sieg des Morgen

Es schweigt das Tal.
Die Finsternisse bleichen
dem Lichtfanal.
Die Sonne wird zum Zeichen

von Tag und Tat!
Epochen überleben
der Träume Saat.
Es wird den Herbst noch geben.

Bist du bereit
es mit dem Sturm zu wagen
im Trug der Zeit?
Bist du bereit

das Tier der Schuld zu jagen
dahin mit Macht und Plagen
zur Ewigkeit?
Dort soll es Dornen tragen!

Novemberschmerz

Hinter grauen Gittern
schläft die Einsamkeit!
Wie der Gott befohlen
ihr es immerdar.

Könnte meine Seele
dies Gefängnis nur
einmal noch durchbrechen
eh der Winter naht.

Aber tausend Schatten
steigen von den Bergen
in das bunte Tal:
der Betäubung Chor.

und ich weiß mir keine
frohe Stunde mehr
wo die Rosen blühten
einst so sommerlich.

Graue Nebelmänner
hüllen alle Freuden
der Umgebung ein
zu erstarrtem Schweigen.

**Autonomie zu Handen
des Landes Tirol**

Kunst
Heimatpflege
Bergintelligenz
Ortsindustrie
Landeswirtschaftskammer –

Volksfreiheit
Sprachreinigung
Mutterschutz
Kulturverein
Politische Unabhängigkeit –

Religionsstaat
Kirchengeschichte
Welthandel
Zeitgebung
Endsieg.

**Autonomie zu Handen
einer modernen Zeit**

Schönheit
Ehrbegriff
Weltweisheit
Wirklichkeitstreue
Allgemeine Bildung –

Aufklärung
Ideale Wahrheit
Lebensnähe
Philosophische Aufgeschlossenheit
Selbstbestimmungsrecht –

Stammeseinigkeit
Ernst der Bürger
Öffentliche Befriedung
Geschichtliche Dichtung
Weltruhm.

Untröstliches Gefühl

So bist du fort?
Ich sah dich lang nicht mehr.
Kein Gruß, kein Wort –
im Herzen mir der Speer.

Die Welt ist leer,
leer jeder Freude Hort;
und immerfort
ein graues Ungefähr.

Wo bist du hin?
Von wo warst du denn her?
An klagt mein Sinn
dich, denn du lebst nicht mehr.

Mein Los wie schwer!
Getroffen vom Geschick
im Lebensglück.
Ein Schemen stelzt daher.

So bist du tot?
Ertrunken gar im Meer?
Von meiner Not
singt keine Schwalbe mehr.

Wir haben es mit unserem Innenleben nicht leicht. Oft offenbart sich die Phantasie als garstige Rechthaberin, mit der kein vernünftiges Tun anzufangen ist. Dann wird der gepeinigte Geist so leicht zum ungewollten Märtyrer. Ist der Mensch von Natur aus doch selten ein Genie. Oh, mit dem landläufigen Verstand halten es Mann und Weib schon eher. Größe und Erhabenheit sind für den gewöhnlichen Sterblichen auch in den wenigsten Fällen auszudenken. Einer leidet Schiffbruch; der nächste kommt auf den Hund. Ein dritter ist gezwungen zeitlebens ein wahres Hundeleben zu führen. Der Intelligenzler mag nicht Bauernknecht sein. Ein Studierter gar wird es als Soldat ungern aushalten. Dem Gebildeten soll man schon gar nicht zumuten, daß er Priester werde: das läßt schon sein Hochmut nicht zu. Den bescheidenen Seelen aber wird nachgesagt, daß sie keinen hellen Kopf hätten. So wird mit den Kategorien der Gescheitheit auf dieser Welt mancher perverse Unfug getrieben. Und niemand will dabei der Alleinschuldige sein.

Demütigung

Frage nicht lange,
irre nicht länger;
sei der Erkenntnis
glücklicher Sohn.

Flut ist im Leben –
aber auch Ebbe!
Keinem gefällt es
Sklave zu sein.

Stürze der Himmel
gegen die Sterne
fast auf uns nieder ...
bleibt doch die Höh.

Bleibt doch die Nähe
ewiger Dinge
mit den Gedanken
deiner Nation.

Fleißigen Mutes
handelt der Freie
daß er dem Grauen
biete die Stirn.

Was ist mit uns allen los? Wir zerbrechen uns nicht den Kopf um das Morgen. Weder im Guten, noch im Bösen. Man tut was man kann. Eine leichte Redensart löst die andere ab. So waschen sich die meisten Leute vom Übel des Versagens rein. Ob sie es mit einer sauberen Gesinnung tun, das steht nicht immer fest. Fest aber steht, daß die Tage keinen Hokuspokus des Verderbens kennen, ohne daß wissende und fühlende Menschen mit ihnen Abrechnung halten möchten. Denn dem Laster will kein Kluger zum Opfer fallen. Gebildete Vernunft weiß wohl manches vom Stande unheimlicher Wissenschaft.
Wo Funken schwelen, möge Vorsicht walten! Wer ist denn ein grenzenloser Heiliger unter Brüdern und Schwestern? Wer ist denn ein Halbgott aller möglichen und übertriebenen Pflichten? Ich wüßte nicht, daß man den und jenen für einen Gesandten des Vaters halten müßte! Es gibt mehr Durchschnittsmenschen als man gemeinhin annimmt. Wir kommen von den Regeln der Gewohnheit nur selten ab. Und daß wir davon weitab kämen, davon kann keine Rede sein.

Ethische Haltung

Was ist Geschichte
und was ist Person?
Bei Rachetaten
wird kein Sperling groß.

Er muß verhungern.
Er muß untergehen,
der beste Denker,
den die Welt geboren.

So sang es Plato!
Sollte er nicht singen,
nicht triumphieren
über das Phantom?

Man muß die Sterne
Nicht vom Himmel lügen;
Jedoch die Wolken
Reißen aus der Nacht.

„Der Nachdruck in chinesischer Sprache ist von der internationalen Kriminalpolizei strengstens untersagt, damit der Feind nicht vom Feinde lerne!", meinte der Weiße. Aber dieser Weiße war weder ein Italiener, weder ein Spanier, weder ein Franzose, noch ein Deutscher: Er war ein Europäer! Und im wahrsten Sinne des Wortes ein Egoist eines egoistischen Staates. Es gibt Unwesen mit einem Hirnkastel, das der Seele eines Ochsen unerträglich wäre. Wir wollen uns kurz fassen! Die Phrasendrescher sterben nicht aus. Sie haben es ununterbrochen mit Stelzen, Plumps und Krücken zu tun. Weil die massiven Verführer zu laut oder zu wild gesprochen haben. Und nun wundern sich die Hinterbliebenen, daß alles ganz anders gekommen ist. Sie verwundern sich darüber, daß ihnen der Krieg eine Erbschaft der Furien hinterlassen hat. Was ihnen durchaus zuviel ist. Zuviel der Verheerung und zuviel der Verwandlung. Zuviel der Enttäuschungen. Und nun glauben sie vor den Schutthalden der Niederlage mit einer winzigen Kehrichtschaufel Feierabend machen zu müssen. Dem aber ist nicht so! Das Heute besitzt vorderhand noch soviel Selbständigkeit, daß es die Lüge vom Sein und die Phrase von der Notwendigkeit wohl unterscheiden kann. Einmal aber werden die Boote der Gleichgültigkeit im Hafen der versöhnlichen Gewißheit landen. Darum wappne sich der Trostlose mit Ausdauer und Energie.

Silhouetten

Die herrliche Sonne war wie ein glühendes Hufeisen hinter die heimatlichen Nadelwälder gesunken. Der letzte Strahlenschein verglomm in den vereinzelt fahrenden luftigen Hochsommerwolken.

„Sie kommen, sie kommen!" Erwin schrie es in den säuselnden Augustwind – und an der ihn schelmisch anblinzelnden blonden Leontine vorbei. Und jetzt tauchten seine jugendlichen Kameraden am Rande der welligen Wiesenhügel auf, und: „Ha, der Dichter!" begrüßten ihn die schwitzenden Ankömmlinge. „Ich bin doch kein Dichter", verneinte schüchtern Erwin.

„Er schämt sich seiner Kunst. Haha, er schämt sich seiner Gedichte!" schrien und schnatterten die jugendlichen Verehrer Erwins durcheinander. „Nein, ich tauge nicht zum Poeten. Und was hätte ich von diesem brotlosen Berufe in meinem zukünftigen Leben zu erwarten! Ich bitte euch, macht mich nicht zum Narren vor den musternden Augen der kritischen Welt."

Die „kritische Welt" aber, das war die blonde Leontine. Und diese maßgebende Persönlichkeit im Kreise der goldenen Jugend, sie hielt in diesem aufsehenerregenden Falle auch nicht mit der Wahrheit hinter dem Berge: „Ja, ja! Er hat wieder ein Sonett geschrieben! Ich kann es sogar auswendig. Wollt ihr es hören?"

„Du wirst den Mund halten", wehrte sich der junge Dichter. Leontine aber zog einen bläßlichen Zettel aus ihrer Schürzentasche, faltete ihn vor aller Augen auseinander, und las den erstaunt Zuhörenden dieses Sonett vor:

„Silhouetten!
Wer ist im Tage, ohne Not und Graus?
Zeit ist die Plage! Nehmt den Ärger aus.
Daß wir die Rosse nicht der Zukunft reiten
beweisen uns die eigensüchtigen Zeiten.
Ich frage nicht die Katze, nicht die Maus
wo meiner Schönheit märchenhaftes Haus!
Der Muse will ich Burg und Thron bereiten,
und mit dem Chaos um die Größe streiten.
Seid ihr mir grimmig? Daß ich so bewußt
nach Atem strebe, wenn in meiner Brust
die Sehnsucht mir will Kraft und Stolz ersticken?
Was habt ihr von der Gottheit denn gewußt,
als daß die Seelen oft sie will bestricken?
Man soll ins Wasser und ins Feuer blicken."

Erwins Kameraden klatschten lauten Beifall: „Brav, Erwin! Nur so weiter. Du wirst sehen! Du wirst noch ein Klassiger, ein Olympier." „Ich ahne, es steht in den Sternen geschrieben!" lobhudelte ein anderer. Und der frühreife begabte junge Mensch fühlte, daß sich hier für ihn zum ersten Mal das Tor zur Welt aufgeschlagen hatte. Erwin senkte gedankenversunken den Kopf, dann tat er plötzlich einen linkischen Sprung, und entriß der blonden Leontine, die eines seiner tiefsten Geheimnisse unter die Leute getragen hatte, den Zettel mit dem Gedicht.

„Bist du gar beleidigt, du großes Kamel?" meinte ein kleiner Knirps.

Wesentlicher Schritt

Gedankenschwer ist mir der Kopf,
es schweigt der Sorge Nachtgesang.
Ich bin auch sonst kein armer Tropf
und litt des Mühens Opfer lang.

Die Ewigkeit ist jetzt um mich,
um mich ist jetzt die Herrlichkeit!
Es bilden neue Wellen sich
und Wunder blühen aus der Zeit.

Der Mensch verliert das große Glück,
wenn er sich nicht im Alltag übt.
Und nimmer kehrt der Tag zurück,
der einmal seinen Brauch geübt.

Drum stottere nicht stundenlang
ein lallend Sprüchlein in der Not!
Die Hoffnung schwebt in ihrem Klang
und sein Geheimnis hat der Tod.

Es gibt auch Schatten der Heimat. Ein über Nacht zu Ruhm und Ehren gekommener Held der Feder sitzt, in einem Hotel in Berlin, mehreren Berichterstattern gegenüber; ihnen willfährig Rede und Antwort stehend, soweit es seine wachsame Vernunft zuläßt. Und einer dieser unausstehlichen Neugierigen schmeichelt ihm mit dem fraglichen Versprechen: „Hier in der gewaltigen und schwungvollen Stadt werden sie sich bald heimisch fühlen! Nicht wahr?"
Da springt der umschwärmte Schöngeist wie von tausend Atmosphären emporgeschleudert von seinem sicheren Sitze auf, und erwidert: „Ich mich hier, in Berlin, heimisch fühlen? Das verhüte Gott! Zuhause kenne ich nur Narren."
Aber die Umstehenden geben sich mit dieser lakonischen Auskunft nicht zufrieden. Einer der Herren platzt heraus: „Na, na; nur nicht so grob sein. Überall gibt es Wolken – und über allem leuchtet die goldene Sonne. Warum nicht gleich in seinem Aufstiege das Schlimmste befürchten?"
Und der schlagfertige Schöngeist erwidert zum zweiten Mal: „Es ist nicht das Schlimmste das Schlimmste befürchten: Das Schlimmste ist das Schlimmste erleiden."

Novelle und Lyrik

Der vorhin so lustige Baum schwieg. Die mannigfaltigen Äste hingen ihm ohne spürbaren Hauch und ersichtliche Regung vom Stamm. Mir in meiner untröstlichen Verlassenheit war zumute als ob ich auf der Stelle sterben müßte. Unglückliche Liebe zerfraß mir wie ein unersättlicher Vampir männlichen Willen und sterbliches Fleisch. Ich sah in diesem Dilemma kein Ende eines Anfanges und keinen Anfang eines erträglichen Endes mehr. Ich war nicht mehr imstande meiner rasenden Leidenschaft Herr zu werden. Und sie, die Sie nämlich, war ein- für allemal weg und fort. Wie es schien: Für immer. Ich hätte mich kurzerhand mit der rostigsten Pistole erschießen mögen. Doch dann erinnerte ich mich meiner linken Rocktasche unter dem Knopfloch, ich griff zum Bleistift und verfaßte ein kleines Gedicht – wie – um die ganze todernste Angelegenheit am Altare der Musen der Gottheit anheimzulegen. Hier der Text des fraglichen Elaborates!

„Zerronnen sind
mir Traum und Lebenslust.
Ich bin ein Kind
der Kinder in der Brust.

Verlassen von
der Schönheit Ebenbild
geh ich (ein Schatten)
über das Gefild.

Die Hände ringend
wie ein Spuk der Nacht ...
Das hat der Liebe
Untergang vollbracht.

Ist keine Seele
die mir Hilfe weiß?
Ist keine Kröte
die mir leckt den Schweiß?

Zum Narren hat mich
so mein Überdruß!
Mit seinem Wesen
macht der Ekel Schluß."

Mir war tatsächlich zum Heulen. Auch bei den neun Musen, in ihrem immergrünen Hain natürlich, fand ich kein Brot der Engel, will sagen kein Entgegenkommen des Verständnisses, für meine mehr abgeschmackte als des allmählichen Überwindens würdige Lage. Ein Gedicht war freilich Gedicht geworden, doch der leidende Mensch in mir wußte sich an seinem unverdienten Unglück nicht zu rächen. Alle weiteren selbstbekennerischen Auslassungen erübrigen sich natürlich mit kategorischer Vehemenz. Was gesagt sein muß, das hat seine unüberhörbare Stimme gefunden.

Das zerrissene Sonett

Hildegard bat: „Sag mir ein Gedicht auf! Dir macht es ja keine Schwierigkeiten." Und Nikolaus begann:
    „Die Bienen, sie summen
    im Rauschen der Zweige."
Weiter kam er nicht. Hildegard ergänzte die Strophe:
    „Glutadler, o steige
    durch wolkichte Summen."
Da mußte Nikolaus laut auflachen: „Mit dem ‚Glutadler auf wolkichten Summen' meinst du die sinkende Sonne, nicht wahr?"
„Ja, die meine ich!" behauptete Hildegard.
„Dann weiter!" forderte Nikolaus die Geliebte auf. Doch es fiel der Schönen nichts Schönes mehr ein; sodaß Nikolaus, der poetische Besserwisser, die zweite Strophe zum Sonett werden ließ:
    „Die Lüfte verstummen;
    der Tag geht zur Neige.
    Die Nacht stimmt die Geige
    den Klugen und Dummen."
Nikolaus war überselig. Sein taufrisches Mädchen liebte ihn inbrünstig. Als ob es in aller Ewigkeit schon so gewesen wäre. Jetzt lächelte Hildegard verstohlen: „Du kannst zuweilen ein recht fader Vetter sein, wenn du erst einen prosaischen Haken hast." Aber Nikolaus triumphierte mit wissendem Siegeslächeln: „Was geht das mich an? Wie ich gelaunt bin, so muß das Temperament zum Vorschein kommen! Oh, habe ich denn nicht ein Recht auf Innerlichkeit? Und sind mir die Äußerungen meines Talentes etwa verboten? Nicht, daß ich wüßte!"
Dann fuhr Nikolaus in seiner jüngsten Dichtung fort:
    „Schön träumt sich die Liebe
    im Erdengetriebe.
    O, wenn sie nur bliebe!"
„Es ist genug!" warf Hildegard ergriffen dazwischen. „Laß mich es vollenden:
    O Dasein der Nähe;
    o, Sosein der Höhe:
    Voll Wonne und Wehe."
Sodann umarmte Nikolaus seine heißgeliebte Hildegard; und die raumtrunkene Weltennacht taumelte wie vom Schlage gerührt durch

die fliegenden Wolkenfetzen einem unbekannten Ziele zu. Die Turmuhr vom städtischen Rathaus schlug elf Uhr. Das Märchen aus der Fremde, die Poesie schien leibhaftig gegenwärtig zu sein; und nur der Nachtwächter, eine Figur des neunzehnten Jahrhunderts, erschien mit nicht mehr, aber auch nicht weniger als seinem eigenen Selbst auf der Bildfläche der einsam gewordenen Gassen am Rande der Stadt.

Zögerndes Verhalten

Das alte Gestern
hat mich jetzt verlassen.
Ich bin ein Neuer –
und kein Neuling mehr.

Und nicht zum Toren
soll die Welt mich prellen.
Nicht zum Philister
mich das Volk verdummen.

Anfang und Anfang,
sind sie nicht das Selbe?
Fortschritt und Fortschritt
nicht der gleiche Gang?

Es soll der Kluge
nur der Tugend opfern;
und die Geschichte
nur die Welt bewegen.

Man kommt zum Wissen
oder kommt zum Leiden.
Doch beiden Engeln
dient man ungern wohl.

Sterbender Tonfall

Der Wind verlor
sich in der Mitternacht.
Mein Herz war auf noch –
doch mein Körper schlief.

Ich dachte dein!
Und mußte immer denken
an dich allein –
die mir mein Glück versagt.

Unglück der Liebe,
die kein Wunder heilt
vom ew'gen Kranksein
abgewies'ner Sehnsucht.

Schon ruft das Grab
mich in die Schatten hin!
Staub wird das Ende
meiner Schmerzen sein.

Satyrische Linie

Wo ich weile, wo ich eile,
überall gedenk ich dein.
Bruder dir und Herz zu sein!
Daß sich Berg und Welle teile:

Meiner Sehnsucht Angst und Not,
die mich an den Schlund getrieben.
Hassen will ich, oder lieben!
bis zum letzten Morgenrot.

Keine Inbrunst, die ich fühle,
aber macht den Weg mir leicht.
Du bist fern und unerreicht,
was mir auch die Stirne kühle.

Der Erbitterung im Schritt
weiß ich nicht den Lauf zu bannen.
Furien möchten mich entmannen,
doch dem Übel trotzt der Tritt.

So vollendet sich gerade
immerfort der späte Schwung
bleichender Erinnerung
auf dem engen Stundenpfade.

Götter waren, meiner Treu,
selten unbescholtne Knaben;
weiße so wie schwarze Raben
prophezeiten ihnen Reu.

Auch der Menschen rasches Wesen
lief sich da zuweilen tot.
Was der Augenblick gedroht
stand im Buch der Zeit zu lesen.

Der und jener Dichter sang
schöne Worte dem Geschehen.
Abgelehnt und eingesehen
hat man Selbstentschluß und Zwang.

Im Taumel der Zeichen

Schicksal, das ist die Untätigkeit der Formen.
Wahrheit, das ist die Vergänglichkeit der Schickungen.
Ordnung, das ist die Beständigkeit der Bewegungen.
Furcht, das ist die Umgrenzung der Möglichkeit.
Einfalt, das ist die Bestimmung der Verwirrungen.
Vielfalt, das ist die Lage der Begebenheiten.
Sorgfalt, das ist die Haltung der Entwicklungen.
Zufall, das ist die Neigung der Bedingungen.
Augenschein, das ist die Gegenwart der Gegensätze.
Tod, das ist die Bestrahlung der Ewigkeiten.
Freiheit, das ist die Verurteilung der Gewalttaten.
Engstirnigkeit, das ist die Großtuerei der Spatzengehirne.
Friedensliebe, das ist die seltene Herrlichkeit aller Wüsten und Oasen.
Gerechtigkeit, das ist die Einmaligkeit der Tugenden.

An ein Gespenst

Halte mir die Muse
nicht vom Leibe.
Sie gehört zum Lied,
an dem ich schreibe.

Sie gehört zum Sinn
von dem ich sage;
und gehört zur Ganzheit
meiner Tage.

Sie gehört zum Bild
von dem ich singe;
sie gehört zum Wind,
für den ich klinge.

Schätze ich das Gute
und das Wahre
fühle ich die Fülle
meiner Jahre.

Auf und ab bin ich
die Bahn gezogen ...
ob mich Sterne führten,
ob sie trogen.

Wiedersehen manches
blieb verschollen!
Weil nicht alle Märchen
dauern wollen.

Wem der Mensch sich immer
weiß verschrieben:
Lernen wird er spät
das Opfer lieben.

Aus den Tränen muß das
Lächeln steigen.
Den Gewalten lernt der
Wunsch sich neigen.

Das Lied

Sobald
Daniela groß ist
wird sie ein Lied singen
für Vögel, Fische und Wölfe.

Dann wird die Welt
in vielen Farben leuchten,
wie ein Gemälde von Murrillo:
Voll Feuerlilien!
Haha.

Und alle Leute
werden auf der Strasse
die Hüte lüften,
als ob ein großer Festtag
für Mäuse, Ratten und Igel wäre.

Der Mond wird lachen
wie vom Wein beduselt;
Grimassen wird er
fürchterliche ziehen;
der gute Mond,
der heut noch in der Erde steckt.

Es wird die Sonne
Purzelbäume schlagen;
als ob der Blitz
in sie gefahren wäre.

Dann wird Daniela
in die Hände klatschen
zu ihrem Lied.

Im Wandel der Form

Was die Muse
Nie gesungen hat
will sie jetzt in tausend Liedern preisen;
und das Unglück sich entfernen heißen
mit den grauen, altersdüstren Weisen:
So erfüllt sich das Gesetz der Tat.

Eine Leere
ist in meiner Brust
da und dort mir spürbar oft gewesen
wie der Fall in keinem Buch zu lesen
je mir war von Ahnen und Verwesen:
Daß ich oft mir keinen Rat gewußt.

Doch vergingen
die Gespenster all,
wie sie grimmig aus dem Staub gestiegen
mich zu ängst'gen mit erfundnen Siegen
gleich den Hornissen und gleich den Fliegen:
Die Befreiung winkte überall.

Eh das Drama
mich geschlagen sah
kam ich immer noch zu einem Wagen
um das Unheil aus dem Feld zu schlagen
und die Freiheit nach dem Ziel zu tragen,
wie es passend für Viktoria.

Als die Schatten
dann verblichen ganz
mir im Wechsel der Epoche waren
fühlte ich den Inhalt in den Jahren –
und begann mich selber zu erfahren
als den Jäger vor der Wolken Tanz.

Auf und ab war
ich der Spur gefolgt
der Geschichte und der Wirklichkeiten
durch Minuten, Monate und Zeiten
aufgeregt und leise in die Weiten,
bis mich nimmer Fluch und Grimm verfolgt.

Danielas Heimkehr

Daniela ist ein hübsches Kind
wie junge Mädchen eitel sind.
Sie war am Meer, sie war am Strand
und fing den Fisch mit leichter Hand.

Das ist jetzt allerdings vorbei,
verstummt der Möwen heller Schrei.
Zuhause gibt es oft Radau –
die Füchse sind im Hühnerbau.

In Scheren geht die Poesie,
zur Vorherrschaft kommt das Genie:
Man fitzelt mit der Schere was
aus Blatt und Band, das ist ein Spaß.

Ergötzt sich auf dem Kanapee
und wirft die Polster in die Höh.
Spricht altklug Frag und Antwort aus
als spräche man zu einer Maus.

Da neigt sich eine Kinderstirn
mit einem witzigen Gehirn.
Kommt alles auf die Pose an,
in der man Größe zeigt zum Plan.

Die Stimmung will begriffen sein,
der Ärger will verpfiffen sein!
Wenn nur die Uhr so weitergeht
wie jetzt der Kuckuck jauchzt und fleht.

Der kleine Heuschrecken

Klein Philipp auf dem Kanapee
verzehrt die Wurst und trinkt den Tee.
Steigt auf den Tisch, und zur Mama
sagt er: „So bin ich wieder da!"

Das geht bergauf und geht bergab
wie Juxus mit dem Zauberstab.
Unruhig tut das junge Blut
mit Hand und Fuß ... die Welt ist gut.

Ein Zappelphilipp macht sich breit
mit Eifer und mit Seligkeit.
Wie eben ein gewecktes Kind
der Mutter macht den Zimmerwind.

„Da auch", sagt er und „ja, ja, ja!
Für Mama ein Viktoria."
Die kleine Seele ahnt den Witz
von jedem großen Dichterblitz.

Noch eine Strophe, wie der Bär
die Frösche jagt im Walde her.
Das Lied ist aus; was liegt daran
daß man ein Lied erfinden kann?

Nach hallt und schallt das Echo fern ...
Die Welt ist ein geliebter Stern.
Wer nur das Abc versteht
wenn erst die Schrift geschrieben steht.

Totes Holz

Mir stockt der Fuß.
Mannshoch das Dickicht steilt
sich in den blauen, hellen Sommerhimmel.
Wild klopft das Herz
dem Flüchtling der Epoche
dem Rätsel zu,
das die Verheißung ist.

Mensch, sei kein Tier,
gehetzt ins Ungewisse
von Menschenseelen,
die der Zeitgeist treibt
um Geld und Herrschaft ...
Sei du der Gerechte
von Welt und Heimat!
Sei der Nimmermüde
von Maß und Schönheit,
Bildung, Glück und Dauer.

Das rettet dich
vom Ekel und vom Kummer;
der du der Sucher
vieler Wunder bist ...
Mit wenig ist
Bescheidenheit zufrieden;
mit wenig weiß die
Demut sich belehrt.

Stilles Heldentum

Tal der Schatten
ist die eine,
ewige Vergänglichkeit ...
bis die Not zum Himmel schreit,
weil die Träume Brüder hatten.

Murre deiner
Weltgeschichte
keine großen Klagen zu ...
Deiner Wünsche Feind bist du,
lebt der Mensch doch oft wie keiner.

Gruß dem Leben
und dem Tode
wirst du wissen manchen auch!
Jede Freude ist ein Hauch –
 und der Hauch will Flügel heben.

Die Gewalt der
Erdenschwere
macht den höchsten Stolz zum Kind.
Tummle dich vom Wahn geschwind
weiter, in den rechten Psalter.

Stilleben

Die Wiesenblumen
aus der Friedenszeit.
Das ist kein Gestern
mehr voll Raub und Mord.
Ist ein Ergötzen
holder Gegenwart,
von der die Sternlein
über Wolken träumen.

Umarme sie,
die gottbeglückte Stunde
mit süßen Worten
der Vertraulichkeit.
Und brich dem Unglück
die gezückte Lanze
daß in den Staub
sie des Vergessens sinkt.

Verlorenes Paradies

Ich will nicht mehr,
der Weil' ich müde bin.
Mein Herz ist schwer,
der Kopf voll trübem Sinn.

Das geht so her
und geht so wieder hin!
Ein Ungefähr,
in dem ich elend bin.

Die blaue Spur
wird schwarz um Mitternacht.
Ein Lüftchen nur,

in dem der Wind erwacht
oft zum Orkan ...
Das danke ich dem Wahn.

Novelle der Saison

Das Unglück fällt
von allen Stellen
auf das Haus.
Unschuldigen
und Schuldigen
zu ernster Prüfung
wider Stolz und Trug.
Dem Heiligen
wird das Geschick zur Lehre;
dem Sünder wird es
zur Beharrlichkeit:
Von Welt und Leben!
Faust stößt auf Faust
und Schulter drückt an Schulter.
Kein Sultan ist's,
der mit dem Löwen ringt.
Der Alltag nur
will seine Opfer haben:
Wem zur Erlösung,
anderen zum Fall.
Und die Novelle
dieses wilden Odems
ist bald gesungen:
So erzählt der Dichter.

Figuren des All

Die Gestirne leuchten mild
auf die Nacht hernieder.
Leise taucht Melancholie
auf am Horizont,
um dem Monde nachzuträumen,
ihrem Spießgesellen!
Spießgefährte oft und oft
war er ihr im Märchen ...
unverwundet meistens kränkelnd
aus verkannter Sehnsucht.

Konnte die Melancholie
sich dem Jäger beugen?
War sie nicht die höhere
Herrin vor dem Schwärmer?
Und in Wahrheit eine Göttin
fast dem Erdenbruder;
der von Wünschen eingefangen
tausend Schmerzen litt?
Ja, ein Paar des Ungereimten
sind sie stets gewesen.

Betrachtung und Kultur

Die Pappeln rauschen.
Meiner Sorge Fuß
treibt mich von hinnen
tag- und jahrelang:
Den Unerlösten
von Genie und Hoffnung.

Die Berge rühren
nimmer sich vom Fleck.
Die Welt bleibt Welt!
Es bleibt die Erde Erde.
Man schaufelt Gräber
und man tauft Geborne!

Die Zahnradbahn
des Müssens sucht den Gipfel
des Heils zu finden.
Wer errät den Hort?
Wo wird sich auf
der letzte Himmel halten.

Uhr ohne Zeiger

Fluch und Gnade
strenge Möglichkeiten:
Fehltritt, Hoffnung
zürnende Geschwister.

Wenn der Kummer
aus dem Stein gestiegen
macht er dir wohl
deine Seele hart.

Dem Versteinern
folgt das Steinerweichen!
Niobe, Christus?
Schicksalswoge rauscht.

Nimm fanatisch
deinen Mut zusammen,
wenn der Drache
um die Felsen leckt.

Abel, Siegfried?
Bilder der Geschichte
raunen selig
dir Belehrung zu.

Tausend Jahr
hat es schon gegeben;
wilde Schlachten
der Entschlossenheit.

Lorbeerkränze
gingen in die Brüche;
von der Schönheit
blieb ein Säulenstumpf.

Große Namen
wurden leere Tempel.
Mittag ist es ...
was verspricht die Zeit?

Für Amelie

Du bist die Ruh;
ob fern und meilenweit
ein Spiegelbild der Zeit:
Als Du dem Du.

Bist die Gefahr,
die ohne Mitleid war;
und erst im späten Jahr
sich löst, so wunderbar!

Bist ein Geschick,
das mir den Namen gibt,
der sich ums Ganze übt
mit Mut und Glück.

Bist hell und weit
der Weg der Wirklichkeit
von Lust und Bitterkeit:
Wie sie der Gott verleiht.

Bist Einst und Jetzt,
mir bleibend im Gemüt,
das um den Himmel glüht,
der nie verletzt.

Verpfuschtes Leben

Weil sie alle ohne Götter sind
wollten sie auch meine Welt entgotten
und mein Hoffen in die Pfützen hotten
als des Irrtums lächerliches Kind.

Und es stank von Wanzen und von Motten
mir die Stube der Kultur geschwind!
Durch die Weiten mochte ich mich trotten,
nur dem Unheil blies sein Lied der Wind.

Lob und Tadel konnten mich verwirren,
Glück und Unglück mir den Mut verjagen
in der Stille und der Stürme Tagen.

Ohne Wunder bäumte sich mein Irren
auf den Sternen, auf den Harmonien
um dem Tode in das Land zu ziehen.

Komponente

Willst du dem Himmel
deine Bilder schenken?
Was soll dir Gnade,
was Erlösung sein?

Ach ja, der Anfang
wies ins Grenzenlose ...
Im Land der Schranken
bist du doch ihr Kind.

Nie will die Unrast
dir zu hoffen geben,
jedoch zu denken
gibt sie dir gewiß.

Eins muß im andern
die Natur erleiden!
Nur von der Kurzweil
kommt die Treue nicht.

Auf sich gestellt

Ich möchte schon
die Mitternacht bezwingen;
und mir zum Lohn
den hellsten Sieg erringen.

Was aber kann
die Leidenschaft erreichen;
narrt sie den Mann
zum Krüppel ohnegleichen?

Ich bin dafür
mich durch den Sturm zu winden;
und auf die Tür
zum stillen Sinn zu finden!

Jedoch das Nichts
will seine Streiche spielen
zu des Gedichts
Erlaß und zu den vielen

Ideen auch,
die meinen Geist bewegen
mit Wink und Hauch,
mit Warnung, Fluch und Segen.

Der Zeit Betrug,
er läßt mich nie genesen;
und Zug um Zug
gebraucht er seinen Besen

um was gesetzt
ins Schiefe zu verschieben;
und was verletzt
zu töten in den Trieben

der Tugend sein
und seiner Herrlichkeiten.
O schwerer Stein
der liederlichen Zeiten.

Auf schnellem Pferd

Von seiner Spur
weiß jeder ein Gedicht ...
Ich dichte nur
weil sich das Wort so spricht

Und singe nur
weil sich das Lied so klingt
durch Wald und Flur
wo Reh und Gemse springt.

Den müden Mann
durchwühle Jugendsinn.
Wer lieben kann
dem wird es zum Gewinn.

Die Wirklichkeit
wird manchem zum Geschick.
Den Ernst der Zeit
regiert der Augenblick.

Den Traum der Nacht
bestimmt die Illusion ...
Ich bin erwacht –
und sehe Sterne schon.

Wie wunderlich
sich die Geschichte mischt
bis All und Ich
in einem Hui verwischt.

Erschütterndes Lied

Was soll ich sagen?
Steht mir Schweigen gut?
Was ... Vögel tragen,
wenn ein Loch im Hut?

Mir Eingeweide
schlingen um das Haar
weil ich zu Leide
den Philistern war?

Ich kann ja träumen
was mir just behagt;
bis bei den Bäumen
grau der Morgen tagt!

Nach Wundern fragen
in der Wüste kalt;
nach Wölfen jagen
menschlicher Gestalt.

Mir selbst genügen
oder einsam sein ...
Zweifach Vergnügen,
das ist süßer Wein.

Ein Liebchen kosen,
fassen sie so warm!
Die Stürme tosen
mir daß Gotterbarm.

Was gibt den Frieden
der bewegten Brust?
Vom Glück geschieden
bin ich wie gemußt.

Nur eine Weile
noch der Bitterkeit?
Der Mensch hat Eile,
wenn ihn hetzt die Zeit.

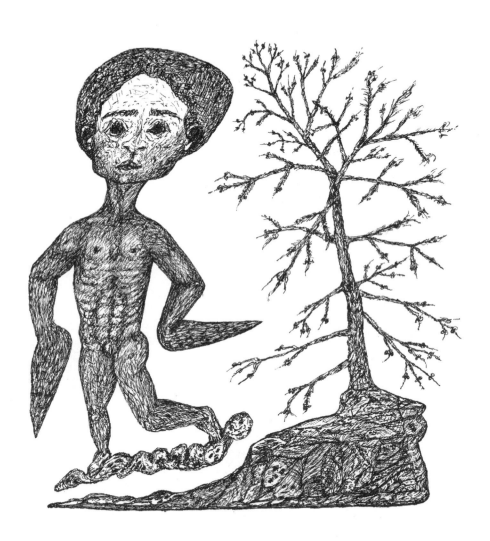

Poetische Fuchsien

Es schlägt nicht ein.
Die Not hat mich am Kragen,
die Zeit hat mich geschlagen,
die Stunde kann mich plagen!
So stürmt die Pein.

Ich aber mag
nicht durch die Latten fallen,
nicht wie ein Lümmel lallen,
zu Gott die Fäuste ballen!
Ich will den Tag.

Mir soll das Glück
nicht auf die Nerven gehen
im närrischen Geschehen
von Abgrund und Entstehen:
Ich muß zurück

mich von der Spur
der schwarzen Tiefe halten!
Und stürmen die Gewalten
in drohenden Gestalten
durch Ort und Flur.

Und sollt' der Tod
die scharfe Sense schwingen
zu kürzen mein Gelingen
in Plänen, Werken, Dingen:
Ich will mein Brot.

Traurige Wahrheit

Wer hat Talent?
Was sollen fremde Kronen?
Bist Ein Prozent –
und Tausend sind Kanonen.

Der kleine Mann,
er beuge sich den Großen!
Wer leiden kann
den schuften die Genossen.

Ich mache mich
mir selbst nicht zum Gelächter!
Selbst ist das Ich
von meinem Ich der Pächter.

Mag jedermann
mit fünfzig Enten treiben:
Wer denken kann
der laß das Laufen bleiben.

Bist du bei Mut
so bist du auch bei Wissen!
Den alten Hut
kann das Genie vermissen.

Ob du Genie
ob Dilettant am Ende ...
Man weiß das nie
und reibt sich gern die Hände.

Ob der Opal
im Zimmerwinkel funkle;
ob das Fanal
der Phantasien dunkle.

Bare Münze

Die Sterne, wollt ihr sagen,
hätten nichts mit des Alltags Gefühlen zu tun.
O, wie viele Gefühle ...
Gefühle – und nichts als Gefühle.

Man macht mir noch Angst
mit diesen berühmten Gefühlen
aller meineid'gen Laffen,
die Mäuse und Katzen gefressen.

Und nun schnuppern sie auch
noch nach mir wie sie immer gewittert
einen tüchtigen Braten
wo die Säulen der Bildung gewackelt.

Soll sie wackeln, die Dummheit;
das wird sie in Scherben noch stürzen,
was sie nimmer dem Frieden,
dem täglich gefährdeten dankt.

Eine Pest ist das Unglück,
wenn aus sie's zur Herrlichkeit walzen
nach der Götter Vernunft
erfunden vom Atem der Menge.

Krokodilen verschlägt es
das Schnaufen, das Lachen den Hyänen!
Man erblickt in der Tierwelt
den Menschen ... verruchte Vertierung.

Um nichts und viel

Ich sah die Sterne
auf der Wiese bleichen ...
Der Morgen kam
mit seinen Flammenzeichen.

Frost war mir in
das Kniegelenk gefahren;
Haß zog mich fort
bei ungekämmten Haaren.

Genommen hatte
sich der Tod zum Bräutchen
das stolze Glück!
Toll trieben es die Leutchen.

Unsterblichkeit,
du bist die geile Metze;
doch nicht das Glück
im Taumel seiner Schätze.

Dem schwarzen Mann
mit den verdorrten Flügeln
war schlecht der Steiß
und kaum der Kopf zu prügeln.

Wie er es trieb,
ihm war nicht beizukommen!
Ich ward im Streit
von manchem Schlag benommen.

Lebendig sein,
das war mein Abenteuer;
doch – ohne Glück –
mir schien das ungeheuer.

Den Frieden soll
ich mit dem Tode schließen;
und für das Glück –
was zahlt er für Devisen?

Unerträgliches Schlamassel

Wo soll ich finden
was nicht existent?
Wo überwinden
was mein Haar verbrennt?

Wo untergraben
was ins Grab mich senkt?
Wo Freude haben
wenn die Stunde kränkt?

Zum Philosophen
möchte man dich dumm;
die feinen Zofen
wünschen mich noch stumm.

Die alten Weiber
schelten einen: Kraut!
Die jungen Leiber
fürchten meine Haut.

Mich aufzulösen
denke ich in Dunst!
Den neuen Größen
eine schöne Gunst.

Den Eseltreibern
eine lange Fracht;
den Niederschreibern
eine dunkele Macht.

Mich auszulöschen
dachte die Gewalt!
Doch am Verlöschen
werde ich noch alt.

Am Untergehen
werde ich noch hell.
Zum Überstehen
komme ich im Duell.

Und wenn als Leiche
einst man ein mich scharrt:
Ich bleib ins gleiche
Spiel der Welt vernarrt.

Verdrängte Verneinung

Der Himmel hat es in der Hand
mich aus der Nacht zu führen.
Ich schaue eine Felsenwand
mit aufgerissnen Türen.

Mein Fuß tritt weit von Staub und Sand,
mich zieht es an der Schnüren
der Sehnsucht über Trug und Tand
hinweg! Gott wird mich führen.

Das waren bittre Jahre schwer
voll Sturm und Graus und Schrecken!
Mein Glück ein dürrer Stecken

versprach mir keinen Frühling mehr,
nicht Sommer und nicht Winter –
da war das Nichts dahinter.

Eine glänzende Idee

Das letzte Wunder
deiner müden Art,
es ist das Wunder
deiner Gegenwart.

Vergiß den Plunder
der Gedankenfahrt!
Charakterzunder
macht die Galle hart.

Am besten ist es:
Man vergißt! Und pfeift
sein allerschönstes

Lied, das einem reift ...
aus grünen Erlen
auf zu Purpurperlen.

Am anderen Ende der Bettstelle

Oft wagt sich Sorge in die Hütte.
Du liegst ernüchtert auf der Schütte
im alten Stroh der Widersprüche
und flüsterst deine schönen Sprüche.

Das will kein Kuckuck gelten lassen
daß dich die Augenblicke hassen!
Du hast es mit dem Glück verdorben –
und deine Götter sind gestorben.

Mit anderen Worten

Aus dem Schatten – der du bist –
hast du groß das Kreuz getragen.
Vor dem Wunder, das nicht ist,
will dein heißes Herz verzagen.

Wer den Widersinn ermißt
braucht sich um kein Haus zu plagen.
Wem der Wurm am Knochen frißt,
der hat wenig selbst zu nagen.

Schau und Rückkehr, Plan und Flucht,
manchém bist du hingegeben
im Besinnen wie im Streben.

Rastlos der Geschicke Wucht
destilliert die Atmosphären,
Stoff und Atmung zu erklären.

Meter um Meter

Nicht Fragen stellen
sollst du ohne Grund;
dem Mond nicht bellen
mit beschmutztem Mund.

An frischen Quellen
trinke dich gesund!
Von bunten Stellen
leuchte dir das Rund.

Mach zur Barbarin
nicht die Mitternacht;
und zur Barbarin

nicht die Ruh der Schlacht.
Gedeiht der Friede
preise ihn im Liede.

Glossen zu einem Prozeß

Der kleine Hund
spricht von der großen Sache ...
Daß er den Schund
zum Berg der Götter mache.

Kennt er den Grund,
der Überlebensschwache;
erklärt sein Mund
das, was gekaut der Drache;

Der Illusion
soll alle Welt gehören –
das kenn' ich schon

und will darauf nicht schwören;
nicht als verrückt
und nicht als hirnzerstückt.

Leitgedanke

Den Leuten zu dienen, das ist die Größe der Hoffnung.
Sich selbst zu genügen, das ist die Größe der Tat.
Doch der Welt zu gedeihen, das ist die Größe des Ganzen.
Im Ungenügen verharren heißt das Leidliche leiden.

Und wolltest du Wiegen, wolltest du Tempel und Türme;
getrieben vom Eifer täglich gezogener Spur:
Laß das Ungemach fahren, rette dich von der Zerstörung.
In der Wirklichkeit Auflauf erfüllt sich das bleibende Maß.

Erlösung des Tieres

Mit Wolf und Schnecke ist das so ein Spiel
von Nacht und Abgrund; niemand kommt ans Ziel.

Nicht der Gedanke und nicht das Genie;
nicht der Charakter, nicht die Phantasie.

Dem Tier hat es der Schöpfer angetan
daß er es bändigt nach der Götter Plan.

Der Menschenseele aber blüht ein Kraut,
an dem sie Blumen oder Würmer schaut.

Gib dich zufrieden mit der Dinge Lauf –
nimm noch ein Märchen aus der Strömung auf.

Das wird dich machen von den Trieben frei,
wenn je das Tier an erster Stelle sei.

Sprache und Ruhm

Ich wohne wo
die Berge einsam sind.
Ich lebe wo
sein Fähnchen schwingt der Wind.

Und irgendwo
bin ich der Jahre Kind!
Das reizt mich so
und so zum Wort geschwind.

Verschwiegen sein;
verschwiegen wie ein Stein,
dies Schweigen schafft mir Pein.

Man ist ein Hauch,
hat seine Seele auch;
der Name schwelt wie Rauch.

Verlassener Weltmensch

Das große Meer
der wunderlichen Zeiten
tobt um mich her
in tausend Einsamkeiten.

Mein Boot treibt schwer
durch namenlose Weiten
im Hin und Her
der Wechseldunkelheiten.

Dahin das Licht!
Dahin die leichten Tage
der Zuversicht!

Dahin die stolze Frage
nach Glück und Ruhm ...
Wer gibt mir was darum?

Schicksal

Du bist ein Rätsel mir auf allen Wegen,
du bist ein Rätsel mir wie Wind und Stein.
Du bist ein Rätsel weltenfern gelegen –
und ich will Rätsel dir im Gleichnis sein.

Oft hat die Glocke mit dem Turm gerungen,
es blieb der Turm, die Glocke kam zu Fall.
Das wird dir überall schon nachgesungen:
Ihr Rätsel hat die Erde überall.

Ertrage dich im Schweigen und im Klagen,
erkenne dich im Wesen und im Wahn!
Du mußt das Wissen mit dem Können plagen –
und mit der Tatkraft plage deinen Plan.

Nie ists zuviel der Mühsal vor den Dingen,
nie ists genug der Wahrheit vor der Schuld.
Die Augen leuchten und die Ohren klingen
laß dir zum Trost für Übung und Geduld.

Brimborium

Keine Wette
geh ich ein.
Doch – ich wette
Mensch zu sein!

Aus dem Bette
meiner Pein,
Himmel, rette
mich herein.

In die stillen
Sorgen der Pupillen
ohne dumpfe Grillen.

Bis im Reigen
der Gerüchte schweigen
alle bösen Geigen.

Poesie

Ich finde mich nicht wieder,
wie ich einst jung und froh!
Die Schwermut drückt die Glieder
mir in die Stille so.

Von schönen Träumen schied er,
der Wille, sowieso.
Dann duftete der Flieder,
ein Märchen lichterloh.

Doch Kälte macht zum Schatten
die fröhlichste Person.
Man kennt den Winter schon.

Was wir vom Frühling hatten,
der Sommer frißt es auf –
und weist dem Herbst den Lauf.

Launen der Sprachgewalt

Sauber sich
durch alle Latten winden;
Welt und Ich
zur Einigkeit verbinden:
Maß und Weite finden.

Groß und klein
die Wirklichkeiten ahnen;
Blut und Bein
an Jetzt und Tod gemahnen:
Ruf und Helle ahnen.

Sich im Kraut
der Blindheit nicht verfangen;
aufgeschaut
zur Wahrheit ohne Bangen:
Wer auch heimgegangen.

Was das Glück
an Schönem dir gesungen ...
Stück für Stück
sind es Erinnerungen.
Witz und Fest verklungen.

Der Streich

Wo soll ich Armer hin?
Mich rettet keine Dauer,
mich bildet keine Trauer;
mich untergräbt kein Sinn.
Ich bleibe der ich bin.

Ich bleibe der ich war;
im kleinen und im großen
Geschick, dem hoffnungslosen:
Das geht von Jahr zu Jahr.
So wird die Richtung klar.

Zerbrochen war mein Mut ...
Nun will er wieder handeln
und ohne Ängste wandeln
durch Asche und durch Glut.
Er fürchtet keine Brut.

Ich scheide von der Qual
der höllischen Laternen;
in sagenhaften Fernen
liegt der Erfüllung Tal.
Der Weg dahin ist schmal.

Von Irren keine Spur
und keine Spur von Leiden;
die Sorge muß mich meiden
auf blumenbunter Flur.
Mein Glück ist die Natur.

Das Leben ist mein Reich
im Guten und im Bösen!
Ich will das Rätsel lösen
der Musen hart und weich.
Dem Tod mißfällt der Streich.

Ideogramme

Wer die Nase in die Fliegenden Teller steckt,
der wird zum Absturz gebracht
Illusionen kann ich nicht leiden –
auch bei mir nicht.

Sagte der schwarze Mann:
In Südtirol wütet die Pest mit nie dagewesener Heftigkeit.
In wenigen Tagen und für wenige Tage
wird die Seuche um den ganzen Erdball rasen –
und die größte Panik aller Zeiten
wird nicht zu verhindern sein.

Gedicht für Flor

Sag nicht ich läge tot
im Hain der Markomannen.
Ein Freund von jeder Not
bin ich bei vollen Kannen!

Der Liebe Vollmondschein ...
Dem Dichter große Augen,
die aus der Jahre Pein
die Glut der Freude saugen.

Sag nicht ich wäre alt
geworden im Verwittern
von Sehnsucht und Gestalt!
Sprich nicht von faulen Splittern!

Schweig mir von Untergang,
Verkümmern und Erliegen!
Bei Stille und Gesang
soll sich mein Rätsel wiegen.

Klag nicht vom Überdruß,
in den mein Glück befangen.
Ich diene einem Muß
der Schwäne und der Schlangen.

Üb nie an mir Kritik!
Und wären tausend Jahre
mein elendes Geschick
vom Anlauf bis zur Bahre.

Ich stehe wo ich bin,
ich fahre wo ich gehe:
Ein Jäger ist mein Sinn
von seinem eignen Wehe.

Von seinem eignen Blut
ein trotziger Verkünder!
In seiner Heldenwut
ein Gott für alle Sünder.

Noch eins für Markus

Ihr schaut mich glasig an!
Was hab ich denn verbrochen?
Ist denn mein Werk vertan –
und schwefelt's durch die Wochen?

Sind andere berühmt
kann ich sie nicht verbrennen!
Wie es dem Mann geziemt
lernt er die Dinge kennen.

Mir war die große Spur
durch Wüsten viel gewiesen ...
Ich habe die Natur
als Kind und Geist gepriesen.

Hab durch den Schabernack
von Zeit und Welt gewunden
bescheiden mich – Tabak
und Wein und Trost gefunden.

Der Weiber Narretei
hat oft mein Herz verwundet.
Will sehen ob dabei
es jetzt im Ruhm gesundet!

Den toten Punkt voraus
will ich nicht mehr erblicken;
und wär er eine Laus,
an der die Mücken zwicken.

Mir ist es Ernst mit dem,
was man nennt die Methode!
Leicht löst sich das Problem
im Sturz der schweren Mode.

Der Wunsch hat seinen Schlaf
zu mancher Viertelstunde;
der Wille führt das Schaf
durch Wölfe und durch Hunde.

Sie hat mir nichts mehr an,
die hundertköpf'ge Schlange.
Ich bin kein Scharlatan,
der in der Zeitung prange.

Eindruck und Ausdruck

Du bist gerecht
zu jedem Baum und Stein;
und willst nicht schlecht
vor Welt und Nachbar sein.

Zuweilen fühlt
dein Innerstes sich alt ...
dann wieder wühlt
es auf die Glutgewalt.

Gefundene Sprache

Mein Himmel schwieg.
Ich lernte seine Stimme!
Das war Gesang
von Jugend, Wahn und Glück.

Das war Gefühl
voll Leben, Leid und Trauer.
Das war Geschick
von Anfang, Schluß und Sieg.

Ich hätte mir
die Welt gewinnen können;
nachdem ich erst
die Zeit verloren meinte.

Doch dann besann
ich mich auf Maß und Klugheit –
und in der Seele
fügte sich der Sturm.

Stückwerk des Glücks

Du warst ein Lied.
Jetzt bist du eine Träne!
Du warst ein Traum!
Jetzt bist du ein Gedanke.

Du warst ein Hoffen!
Jetzt bist du ein Wissen.
Du warst ein Glücksfall!
Jetzt bis du ein Schmerz.

Wie hat das sein,
wie hat das kommen müssen?
Wie war das möglich –
und – wie wär es nicht?

Charlotte, leider
bist du eine Sage
verlor'ner Wunder
meiner Phantasie.

Wasserspiegel in Not

Der Knabe stand am Wasserrand
und schaute in die Flut.
Die Nixe sich ein Kränzlein wand
aus sonnengoldner Glut;

und hob die ringgeschmückte Hand
mit frauenhaftem Mut
herüber an das Uferband –
das stand dem Knaben gut.

„Komm, Schönling, her an meine Brust,
ich bin dir hold und jung ...
So kosten wir der Liebe Lust!"

Der Knabe tat den Sprung ...
Die Wellen um die Büsche gehen,
hat keiner mehr ihn je gesehn.

Ausgelassene Welt

Ich weiß nicht wie
die böse Zeit verrann!
Und weiß nicht wie
den Fluch ich ändern kann.

Bin kein Genie,
bin aber doch ein Mann ...
ob sich auch nie
das Glück auf mich besann.

Ein leichter Spott,
das wäre mir schon Mut;
ein zahmer Gott,

der wäre mir schon gut.
Der wilde Sinn
der Welt – bringt nicht Gewinn.

Kassandra am Tor

Mein guter Stern,
der in den Wolken schlief,
taucht wieder auf
mit Bild und Liebesbrief.

Ein brauner Kopf
der seine Locken kämmt;
und meinem Schopf
die hohen Träume dämmt.

Ich bin bereit
zu Mühe und Verzicht.
In Wirklichkeit
beschwingt mich das Gedicht.

Notwendigkeit
verrät sich als Problem
von Raum und Zeit –
die der Gedanke zähm'.

Begebenheit
die um die Wünsche weht;
Vergänglichkeit
die auf dem Berge steht:

Was sind sie mehr,
als Boten der Gewalt;
Sei auf der Hut!
Die Tücke laß dich kalt.

Legende im Sommer

Mein Schifflein zieht
mit niederem Gemüt
den Wellen gleich
fort über Bach und Teich.

Von Strand zu Strand
sucht es sein Uferland
im Sonnenstrahl
von junger Lust und Qual.

Taucht auf, geht ein;
gebändigt und allein –
dem Weltgeschick
gebunden an den Strick.

Besteht. Vergeht
so wie ein Hauch verweht
im Sommerwind
bei Schmetterling und Kind.

Mein Schifflein eilt
dahin; und unverweilt
erscheint die Nacht
im Kleid der Sternenpracht.

Es naht der Traum.
Ein Vogel aus dem Baum
der Ewigkeit –
und stille steht die Zeit.

Disteln der Ewigkeit

Ich will nicht sagen
daß ich elend bin;
und will nicht klagen
daß bedrückt mein Sinn.

Führt doch Verzagen
nie zum Ziele hin –
doch Selbstanklagen
macht die Engel fliehn.

Ich bin's zufrieden
daß die Zeit mich reißt
im Drang hienieden

mich durch Stoff und Geist:
Bis sich die beiden
hold im Einssein leiden.

Zu guter Letzt

Bemühe dich
um Wert und Illusion.
Frei sei das Ich
von jeder Qual und Fron.

Wie es der Tag
in seiner Seele sinnt
der Stundenschlag
des Mannes Herz gewinnt.

Und noch einmal
behauptet sich die Zeit
nach deiner Wahl
zu Lust und Bitterkeit.

Es rührt dich auf
ein äußerstes Geschick ...
So ist's – der Lauf
von All und Augenblick.

Kurze Hilfe

Die Nacht erlosch.
Der Tag erschien
auf goldnen Riesenflügeln
vor himmelblauen Hügeln.
Mit Übermut und Größe
begrub er jede Blöße.

Die Stunde rief.
Der See war tief;
er spiegelte die Fernen ...
Mußt Weg und Richtung lernen!
So handelt die Geschichte
daß es die Welt berichte.

Stimme der Warnung

Wo ist dein Mut?
Wo deine Herrlichkeit?
Die Welt ist gut
und Blüten treibt die Zeit.

Sei auf der Hut
daß dich kein Trug entzweit!
Das Glück beruht
auf Wert und Wirklichkeit.

Wer sich aufs Feld
der Ewigkeit begibt
der ist der Held,

den das Verhängnis liebt
im Auf und Ab
von Wiege, Wunsch und Grab.

Kampf ums Dasein

Daß nichts auf der Welt
dauert und bleibt
ist Beweis.

Ein gefüttertes Kalb
ist auch
ein bewegter Gesang –
den der Pöbel vergißt.

Aufgefressen, das wohl
kannst du werden, doch
nimmer beliebt.

Deine Träume und Schäume
sind eine Fata Morgana
die dein Hoffen verzehrt:

zum dürren Gespenst
einer rand- und bandlosen Wüste,
die dein Schicksal umgarnt.

Und möchte dein Kummer
dir einmal und zehnmal entschlafen:
Für den Tod ist kein Grab.

Für den rasenden Sturm
ist kein Häuschen auf Erden
um das sich die Tauben
bewerben mit spielenden Schwingen.

O, so kämpfst du dich alt.
Bestrebt aus den Wundern
der enteilenden Jugend
die selige Fabel

von Genie und Verstand
zu retten ins düstere Jetzt.
Es möchten die Blitze
der nagenden Ungunst dich töten.

Laß die Leidenschaft laufen;
und gib dich der Einsamkeit hin,
die deine Ewigkeit segnet ...
daß doch deine Sterne dir blieben
zum tröstlichen Himmel.

Geschichte des Big

Big war ein großes Kind.
Es war nicht seine Sache
zu zeigen wie der Drache
der Welt Vergebung sinnt.

Er scherzte mit den Leuten;
und sah in ihren Häuten
die alte Frage stehn
von Werden und Vergehn.

Big blieb ein dummes Kind.
Durch manchen Tunnel ging er
und manche Ratte fing er
vor Schwester, Haus und Rind.

So lebte er zum Segen
dem Selbst auf allen Wegen
der Sehnsucht und der Kunst:
Ihm war nichts um den Dunst.

Big schien ein braves Kind;
zu sein in seinen Träumen
vor blauen Himmelsräumen,
die gerne endlos sind.

So wurde ihm zum Lachen
der Zweikampf mit dem Drachen,
der aus dem Dunkel trug
den Bauch mit langem Zug.

Big hieß fürwahr: Ein Kind!
Vor Zwergen und Titanen
auf der Entwicklung Bahnen
schlief Spuk im braunen Spind.

So drehte er den Faden
sich immer aus dem Schaden
zum Nutzen glücklich fort ...
„Sein!" war sein letztes Wort.

Unter Dingen und Tieren

Steigen laß
die Kühe in die Wolken,
wenn es Freude
gibt für diese Kühe.

Fahren laß
die Schwalben mit den Lüften,
wenn es Schwalben
gibt für diese Lüfte.

Wer nicht auf ist
der muß noch erwachen;
wer nicht faul ist
der muß noch gewinnen.

Aus der Tiefe
grunzen dunkle Säue!
Hast du Wahrheit
stirbt an ihr der Tod.

Bewegte Gegend

Wolken düstern
um den Horizont.
Blitze schicken
Vipern aus dem All.

Einsam zieht es
mich durch Tag und Ortschaft.
Niemand ist es
der mein Herz versteht.

Keine Seele
weiß von meinen Leiden.
Keine Mutter
weiß von meiner Not.

Keine Schwester
weiß von meinem Unglück.
Keine Hoffnung
weiß von meiner Spur.

Sphinx und Rätsel
sind mir die Gedanken;
Haß und Ekel
ist mir das Geschick.

Keine Zündung
will die Hölle sprengen
in die Lüfte
daß der Tod zerrinnt.

Die volle Wahrheit

Hügelauf und -ab, die Nebelschlangen
sind ein erstes Spiel der Winternacht.
Noch ist Herbst, der Sommer kaum vergangen –
und der Ernte Opfer halb vollbracht.

Meine Seele füllt ein ernstes Bangen
über manche Wehmut, die erwacht.
Müder Schwingen zitterndes Verlangen,
leis und langsam geht's zur Ruhe sacht.

Keiner soll sich seiner Größe freuen,
jeder ist ein Spielball nur der Welt!
Wer ist denn ein nie gebeugter Held?

Meine Sehnsucht könnte mich fast reuen:
Immer hat sie mich ins Nichts getrieben!
Traum und Hoffnung ist mein Glück geblieben.

Seele und Missbrauch

Ich brauche keine
Verbrecher
und brauche keine
Versucher.
Will Freunde und Jünger,
will Gefährten der Zeit.

Ich brauche keine
Gespenster
und brauche keine
Erlöser.
Läßt mich die Hölle in Ruhe
rettet der Geist sich vom Fall.

Ich brauche keine Philister
und brauche keine
Betörer.
Gedeiht mir die Ernte zum Frieden
dann glückt mir die Treue hienieden.

Ich brauche keine
Vasallen
und brauche keine
Henker und Narren.
Läßt mich nur das Schicksal am Leben
was soll mir zum Ganzen noch fehlen?

Ich brauche keine
Phantome
und brauche keine
Idole.
Wen keine Dämonen verfolgen
den tröstet die Stille mit Dauer.

Ansprechender Ort

Ich sage nicht
daß mir das Glück geblüht.
Viel war Verzicht –
und manches ist verglüht!

Und klage nicht
daß mir das Leid verfrüht
hat sein Gericht
geworfen ins Gemüt.

Nun bin ich wo
die Freude stille steht
und irgendwo

der Wunsch ins Schweigen geht;
und Tag und Nacht
der Gott zum Spiel gemacht.

Der bessere Trost

Was ist modern;
und was ist alter Stil?
Süß schläft der Kern
wenn bitter das Gefühl.

Mach dir zum Herrn
kein höllisches Profil!
Entdeck' den Stern –
und leuchten wird das Ziel.

Von Anfang an
mußt du ein Wesen sein
bei Grund und Plan!

Entledige der Pein
dich im Gedicht
von Phantasie und Licht.

Kalendarisches

Im Tal der Zweifel
und im Bild der Lust
geschieht ein Neues
das du nie gewußt.

Bald starrt Medusa
dich hetärisch an;
bald sollst du Buße
tun für Stolz und Wahn.

Pupillen rollen
dich wie gläsern an!
Schwer legt das Sollen
sich um deinen Plan.

Du kannst nicht weiter,
alles ist im Sturm.
Die fremden Reiter
trotten um den Turm.

Den Zügellosen
fehlt die Lauterkeit.
Was das Patentamt
meldet hat noch Zeit.

Wenn Gnomen patzen
duftet's in der Küch.
Was ein Prophet ist
tüftelt seine Sprüch.

Den Himmelreichen
dient so mancher Thron.
Die Parallelen
haben Punkte schon.

Beinahe Gänsehaut

Ein Nebelmeer
steigt aus dem Ungefähr
mir jahrelang
voll Angst und Überschwang.

Mein Herz ist schwer!
Der Fuß spürt Untergang;
von Jahr zu Jahr
des Schicksals Nachtgesang.

Pah! Spott und Witz –
ich habe meinen Sitz
im Parlament

das sich Geschichte nennt
im Auf und Ab
von Wehmut, Arm und Stab.

Wie Wolken und Nebel

Wag es mit allen
frischen Gewalten
keck in der Stunde
dunkler Passion.

Oder das Unglück
wird dich ereilen
über den Hügeln
wie ein Vampir.

Sünden der Väter,
Sorgen der Mütter,
Träume der Kinder ...
welches Gewirr.

Keiner ist ewig;
nicht der Gerechte
und nicht der Sünder:
Jeder vergeht.

Sei es dem Chaos
dem er sich opfre;
sei es die Schönheit
der er sich widme.

Tücken und Fallen
lauern dem Braven!
Aber das Wunder
rettet sein Kind.

Segle hinüber
in die Vollendung ...
Tückischen Ufern
weit von der Flut.

Zug zu einem Kapitel

Unter dem Zuruf der Menschen Umschau halten für sein Selbst. Sodann den richtigen Anlauf nehmen, um seiner innersten Notwendigkeit im gegebenen Moment mit Nachdruck Vorschub zu leisten: Um vor dem fatalen Glücksspiel der Wirklichkeit nicht wie ein Gigant der Vorzeit die Nase in die Luft zu recken. Und so aus der Erinnerung an höhere Ideale des Menschen heraus als ein tätiger Wille mit seiner sinnenden Seele ein lebendiges und belebendes Gespräch führen – und aushalten! Und dennoch für jeden Rückzug ins Nebelhafte gerüstet und gefeit sein vor den Pforten der Zukunft: Das heißt Oberwasser auf den magischen Flossen und hymnischen Flügeln seiner unverbesserlichen Phantasie behalten. Das heißt ein Mann sein, vor sich selbst! Und vor dem Leben nicht zum Lügner werden, sondern auch halten, was versprochen worden ist.

Blick in die Gegenwart

Unser Haus ist da. Viele Häuser liegen der Reihe nach da. Die große Stadt ist ohne eine Unmenge von Häusern nicht denkbar. In allen diesen Häusern wohnen unzählige Menschen! Menschen aller Klassen und Berufe. Es ist ein Geheimnis mit vielen Mänteln; eine ununterbrochene Ankunft, die nie aufhört. Das nie stockende Leben feiert seine heroischen Auftritte, um sich selbst zu vergegenwärtigen. Die heillose und mystische Existenz des menschlichen Daseins verwirklicht sich vor unseren Augen wie ein aufgeschlagenes Buch, das uns seine unwiderruflichen Zeilen in die ungläubigen Augen springen läßt. Die allgemeine Schöpfung wird uns so zum unwiderstehlichen Objekt der Welt.
Darum ist uns oft unheimlich zumute. Weil das Chaos seine mythischen Augen aufschlägt, und uns im Nu zum unbegreiflichen lebendigen Wesen wird. So bewegt sich die dämonische Erfüllung am Ort. Ein Kommendes nimmt zusehends gebieterische Gestalt an. Entweder wird es uns zur himmlischen Jungfrau oder es entpuppt sich als höllische Hexe. Und wir wehren uns oft inbrünstig vor der riesigen Überraschung. Abermals wollen wir, die wissenschaftlich gebildeten Wissenden, mit dem trostlosen Kreuz all der sinnlosen Unrast und Feigheit nichts zu tun haben. Wir wollen mit den natürlichen Stunden unseren guten menschlichen und echt zivilisierten Frieden halten

und besitzen. Wir wollen keine haltlosen und lasterhaften Trunkenbolde der Verzweiflung sein. Wir wollen klar sehen – und uns des Kristalls der Dinge bewußt sein.

In den Ämtern und Parteien treibt zur Stunde alles Psychoanalyse. Ein Kluger könnte närrisch werden. Oder sich Hals über Kopf ins Meer stürzen! Auch in der Frage des Untersuchungsrichters an einen Attentäter wird verschiedener Weise Psychoanalyse getrieben: „Wo waren Sie am ersten April? Ich frage Sie zum ixten Male!" Der Attentäter denkt nach, dann lispelt er fast unhörbar: „Sage ich, daß ich im Kino war, dann spricht er mich schuldig; sage ich anderswo, dann verliere ich den Kopf, weil ich dann durch eigene Schuld den Kopf verloren habe." Und der Verbrecher schweigt hartnäckig, denn irgendwo und -wie droht man ihm an die Gurgel zu springen. Irgendwann lauert der hungrige Wolf der irdischen Gerechtigkeit auf ihn ... So fordert uns die moderne Welt zum Nachdenken heraus. Wir sind aber nicht die dummen Jungen, die das Duell der Zerstörung mit dem Geist nicht annehmen. Wir lassen es darauf ankommen, wenn es sein muß. Ob mit, ob ohne Skandal. Ist es doch offensichtlich, daß Dünkel und Bescheidenheit nicht eines Sinnes sein können. Wer mehr weiß, darf mehr richten! Niemand aber tue es mit Ungnade vor dem Leben.

Verwischte Heftigkeit

Um geht das äußere gleich wie das innere Rätsel. Alle gestrigen Ereignisse tönen in einem letzten Abklang aus. Abbau und Aufbau bestimmen den Charakter und den Stil der Stunden. Anzeigen gibt es solche der Hoffnung – und andere des endgültigen Verzichtes; und des tränenüberströmten Abschiedes. Die graue Parze der Vergeltung läßt sich von keines Menschen Hand zur Trägheit oder zur Flucht zwingen. Doch der Mensch, er bleibt der halb selige, halb unselige Anhänger von Wahn und Wesen. Kein Besitz genügt ihm; nichts Erreichbares will er vermissen müssen, und von keinem Unerreichten will er in seinem Stolze gedemütigt sein. So glaubt er oft das Recht auf ein Wunder der unbescholtenen Existenz zu haben, in der es für ihn kein Versagen und kein Befürchten geben kann. Doch die vielen Glanzlichter seiner Ideale und Vorstellungswelten legen sich schließlich in krause und bunte Linien zusammen, daraus ein alltäglicher neutraler Ton der wissenden Verhaltenheit resultiert.
Der eigenwilligste Mann wird mit der Zeit ein anderer Mensch. Was natürlich noch lange kein Halbgott und kein Heiliger sein muß. Die Stürme der Jugendzeit formen und verwandeln Erwartung und Anlage. Kunst und Wissenschaft reizen zu Leistung und Vergleich. Die eine kann ohne die andere nicht auskommen. Darüber gerät das junge Talent in Gärung. Erwachende Leidenschaften stören das seelische Gleichgewicht oft auf die empfindlichste Weise. Zusammenstöße mit Welt und Leben fordern Instinkt und Charakter heraus. Die anfängliche friedliebende Natur gerät in das revolutionäre Fahrwasser des perversen Zeitgeistes hinein. Zeitweilig werden die Gedanken auf die Spitze des Begriffsvermögens getrieben. Humanisten und Pazifisten erscheinen auf der Bildfläche von Genie und Bildung. Dem Kriege wird das Recht seiner geschichtlichen Mission abgesprochen – aber immer erst dann, wenn er sich schon regelrecht und gründlich ausgetobt hat. Die Berufenen wollen eben alle der Reihe nach dazukommen ihren Mann zu stellen; und das dauert in der Regel ziemlich lange.
Denn es gibt mehr der Schwätzer, als der wissenden Schweiger. Um den Brotkorb tönt der Gesang von Werktag und Sonntag. Die Parole heißt: Überleben! Und niemand will als der Feind irgendeines Feindes betrachtet und behandelt werden. Ist es doch eine Forderung der Klugheit mit bekannten und unbekannten, namhaften und berühmten Leuten eher gut als schlecht auszukommen. Weil doch Freude und Friede im Lande mehr als Zank und Streit geschätzt sind.

Ein gewisses Kriterium

Eine große Zeitung bringt die Frage: „Wann ist der Mensch faul?" Es melden sich verschiedene Antwortgeber; und ein weiser Mann, der im ungerechten Rufe steht ein unguter Müßiggänger zu sein, gibt folgende Erklärung ab: „Der Mensch ist faul, wenn er zu faul ist von seinem schwer verdienten Gelde nicht nur guten, sondern den besten Gebrauch zu machen".
Man kann den spaßhaften Ausspruch des „Übermenschen" nehmen wie man will; ganz unrecht wird der Außenseiter mit seiner Parabel nicht haben. Kommt es doch wiederholt vor, daß selbst Großverdiener von ihren Einnahmen nicht wissen, was sie eigentlich mit ihnen anfangen oder wie sie mit ihnen fertig werden sollen.
Nun stehe ich nicht an, zuzugeben, daß Leute von Format und gleichfalls Leute kleineren Kalibers irren und sündigen können; an sich selbst wie an ihrem Kapital. Besonders mit dem Kapital ist es eine oft widersinnige und unpassionable Angelegenheit. Dabei geht dem Talent nicht ungern der Verstand durch; der Intelligenz droht bei manchem Fehlgriff ein Nervenzusammenbruch; und gar das Genie weiß meistens nicht, wie es mit dem Götzen Mammon dran ist.

Türme der Einbildung

Jedermann erlebt es. Man plant und versucht allerhand. Bald steckt man in einem hohen Wald von Träumen; bald segelt man auf einem weiten Meer der Empfindungen im morschen Boot. Die sagenhaften Fernen locken verführerisch, die bergigen Höhen winken väterlich herab. Aber der moderne und aufgeklärte Mensch fühlt sich beengt und betrogen. Er will mit seinem unzuständigen Erdenlos Gericht halten, und ein- für allemal schaurige Abrechnung halten. Aber die Wahrheit ist größer als der Wunsch, die Notwendigkeit ist mächtiger als der Wille. Und es bleibt alles beim Alten.

Heimliche Freundin!

Hinter mir tobt die Verfolgungsschlacht der europäischen Studenten. Magyaren und Russen haben durch die bedauernswerten Vorgänge in Ungarn und Budapest mein erstes Buch, von dem Sie vielleicht schon gehört haben, dem Maler Pablo Picasso gewidmet. Nun aber möchte ich Sie um die Erlaubnis bitten mein zweites Buch Ihnen widmen zu dürfen. Es handelt sich dabei um eine bloße Formsache, die Sie zu nichts verpflichtet und ohne Bindungen des Gemütes bleibt; sowie es ohne alle politischen Spekulationen in Wer oder Wen ausgerichtet ist ... was man allerdings in der Sprache der Fliegenden Teller „die Signalmasten auf links" setzen heißt.
Allerdings wäre ich lieber die Kurven nach rechts geflogen; aber ich habe augenblicklich nicht den frevelhaften Mut mein viel beschäftigtes Poetenleben mutwillig aufs Spiel zu setzen, sei es aufs Spiel mit den Irdischen, sei es aufs Spiel mit dem Überirdischen. Auch bedürfte es dazu des Befehls irgendeines aus der Luft zu holenden Armeekommandos. Übrigens weiß ich sehr wohl, daß Nobelpreise und Fürstenhochzeiten für Diktatoren und Feldherren gelegentlich eine böse Überraschung, ein Haar in der diplomatischen Suppe sind.
Nehmen Sie es dem unbekannten Schriftsteller nicht übel, daß er die Nullen seiner dämonischen Vergangenheit hinter sich zu lassen bestrebt ist. Wer in der Not ist, und sich helfen kann, der helfe sich bald! Aber die Mitwelt steht dem Neuen und Neuerer meistenteils skeptisch gegenüber; er fühle sich in der Macht, er fühle sich in der Schwäche. Und so ist es meine gute Absicht mich der tödlichen Umklammerung einer verzweifelten Einsamkeit zu entwinden, sei es für den unschuldigen Ruhm, sei es für die schuldhafte Verflachung. Von Ihrem Entscheid hängt zwar kein Erdbeben, wohl aber eine Erleichterung meines gegenwärtigen Zustandes ab. Natürlich besteht in diesem Falle für Sie kein unbedingtes Müssen, und es wäre übertrieben von mir an meine Bitte an Sie eine vielversprechende Erwartung zu knüpfen.
Doch der Wille des Menschen ist sein guter oder sein böser Geist in gesunden und kranken Tagen. Der Wille des Mannes sucht nach der Seele des Weibes. Der Dichter kämpft gegen die Windfahnen des Ungeists um die heiteren Stimmen des Lebens. Er sieht den Tag in der Nacht – und fürchtet sich vor der Nacht im Tage. In der Abkehr vom Chaos wittert er die Chancen zum Werden des Kosmos. Wer die Kraft hat, der möchte sie im Aufruhr der Schemen und Philister zum glorreichen Siege führen. Wer Mensch ist, der will sich nicht als haltloses Tier angesehen wissen.

Vom Häuschen am See

Maats stieg ins Boot. Ohne leisestes Wellengekräusel lag der tiefblaue See. Die Schwalben strichen hoch und flink durch die flimmernde Luft. Im nahen Nadelwalde rief der Kuckuck nach seiner Genossin. Der Äther schien vor Wärme zu singen. Das war aber nur Einbildung. Maats stieß die Ruder ins Wasser. Seine augenblicklichen Gedanken waren ihm leicht und klar. Er pfiff einen kecken Triller; und die stumme Melodie des Herzens schwang sich zu einem sanften Übermut auf. Flugs schnitt das Boot durch die nebenan glucksenden Wellen. Hoch im Osten strahlten monumentale Felsspitzen in den endlosen Raum.
Der junge Mann freute sich des wirklichen Lebens. An Helena mußte er in einemfort denken. Sie war seine heimliche Braut. Nun galt es für Maats den Weg in die gemeinsame Zukunft mit ihr zu finden. Was wunder, daß Maats allerhand Wünsche und fromme Absichten durch den Kopf gingen. Die Liebste, der Beruf und die gewonnene Zeit, sie galten ihm bei dieser Stimmung alles.
Maats wußte sehr wohl, daß jedermann seine teilweisen Schwierigkeiten haben konnte. Solche der ungreifbaren Seele, und andere der greifbaren Wirklichkeit. Besonders von der unberechenbaren Wirklichkeit konnte man hart und rauh angefaßt werden. Wehe dem, der sie unterschätzte!
Am anderen Ufer stand Helena, und winkte herüber. Kerzengerade stand sie vor dem gelben Häuschen. Mit den roten Jalousien nahm sich der bescheidene Bau ganz putzig aus. Und die Rosen, die Rosen. Maats beschleunigte die Ruderschläge; und schrie der Wartenden ein Juhu hinüber. Auch Helena winkte einige Male mit dem weißen Taschentuche. Der wichtigste Roman ihres Lebens hatte ja für sie erst begonnen. Es galt zu wissen wer man war – und was man wollte.
Das blondgelockte Mädchen lief dem Ankommenden an die Landestelle entgegen. Edgar Maats trieb das willige Boot ans sandige Ufer, und befestigte es mit einem fingerdicken Hanfseil am gebleichten Pfahl. Dann nahm er Helena unter den Arm. Gemeinsam gingen sie zum blumengeschmückten Häuschen hinauf. Dort ließen sie sich auf einer gemütlichen Gartenbank nieder.
Und Helena erzählte: „Du bist lange fortgeblieben. Ich wurde schon ungeduldig, und machte dir heimliche Vorwürfe, daß ihr Männer auch immer eure vielen und unnützen Geschäfte habt! Das will mir gar nicht gefallen".
„Meinst du gar, daß ich dir untreu geworden bin?"
„Das nicht. Aber Sehnsucht ergriff mich. Das Alleinsein hat seine

schlimmen Zustände für mich. Ich bin jung; du bist nicht viel älter. Wir wollen uns nicht nur lieben: Wir wollen uns auch verstehen."
„Du hast vollkommen recht!" erwiderte Maats. Sie küßten sich auf die Wangen. Helenas Mutter erspähte die Heimlichkeiten; und schüttelte hinter dem Stubenfenster bedenklich den Kopf. Dann ging sie in die Küche, guckte in die Knödelpfanne und rührte im Braten. Daraufhin begab sie sich wieder in die Stube. Sie riß das Fenster auf, und fragte: „Seid ihr bald fertig? Kommt herauf, das Essen wird gleich da sein."
Helena und Edgar erhoben sich, und gingen flüsternd und lachend ins Haus. Die Mahlzeit mundete ihnen vortrefflich. Mutter Sophie betrachtete die beiden Verliebten mit verstohlenem Wohlgefallen. Endlich wußte sie, woran sie mit ihnen war. Helena konnte ihr nichts mehr verheimlichen. Das glückliche Verhältnis der beiden jungen Leute lag offen zutage. Und Michel, ihr Mann, sollte das noch diesen Abend, wenn er aus der nahen Kreisstadt zurückkehrte, erfahren. Das mußte eine schöne Verlobung geben – und so geschah es.
Es war schon spät. Die Eltern wollten noch ein ernstes Wort reden. Vater Michel schmauchte an der Pfeife. Die blauen Rauchkringel verdunsteten allmählich die Stube. Helena und Edgar saßen, Hand in Hand, hinter dem Tische. Sie hatten sich viel zu erzählen – und noch mehr zu erdichten. Nicht gerade turmhohe Luftschlösser waren es, aber doch kleine Märchen. Wie Hoffende halt so in die Zukunft blicken. Mit suchenden Augen und lauschendem Gehör. Dann las Mutter Sophie ein Stück aus „Hermann und Dorothea" vor. Vater Michel fand, daß das Epos nimmer modern sei. Mutter Sophie schalt ihn dafür tüchtig und wacker aus: „Über unseren Altmeister im klassischen Hain kommt nichts. Kein Unwetter und kein Bombenhagel. Den Nimbus um seinen Ruhm laß ich mir nicht nehmen."
Edgar mußte einspringen, und die gestörte poetische Ordnung wieder herstellen: „Das Alte ist für die Alten; und das Neue für die Jungen. Das gilt in allen kultivierten Landen, und wird für alle Zeiten seinen Sinn haben." Damit war die zwischen den Eltern sich anbahnende Fehde wieder bereinigt. Doch Helena erklärte, daß ihr die Dichter unsympathisch seien. Sie schätze mehr die Männer als die Weisen.

Falsches Glück

Nichts wird vergessen. Weder das Meer der Zukunft, noch der Abgrund der Vergangenheit. Wir stehen im Werden, kämpfen ums Sein. Mit dem Teufel hat es oft seine fatale Richtigkeit. Aber wir bedauern das Übel der Zeiten. Der aufkeimenden Verzweiflung setzen wir die Macht des Willens entgegen. Denn es soll auch für uns nicht nur den Weg des Kreuzes, sondern auch die Pfade des Heils geben. Darum sind wir nicht zimperlich; und es wird um das Wesen der Welt gerungen. So glauben wir uns aus dem Chaos der Zeit zu helfen. Doch wird uns nichts geschenkt. Weder das Entgegenkommen noch das Verständnis – und auch nicht die Gnade. Der Zeitgeist bleibt ein böser Widersacher alles Hohen, Echten und Reinen. Handwerk und Kunstübung machen ihre Geschäfte; Schund und Kitsch erobern die Sympathie der Massen. Und das einsame Genie hat es mit seinen persönlichen Hervorbringungen nicht leicht. O ja, wer im Dienste des Schöpferischen steht, der leidet zu sehr an der Tatsache, daß er nur Geschöpf ist. Und das ist schon eher ein Unglücksfall – als ein kleines Wunder.

Der Spieler

Eine Lücke klafft im Jahrhundert. Die Menschen wissen was sie wollen, aber nicht was ihr Können sein sollte. Somit hält es jeder mit dem Glück, und keiner will etwas vom Unglück wissen, das überall auf der Welt sein Unwesen treibt. Wo jedoch diese Trägheit der Sterblichen hinaus soll, das wissen die Götter. Ich, für meine Person, tue und lasse was ich kann und muß. Aber man soll weder das Übel zur Schwester, noch den Irrsinn zum Bruder nehmen. Ein Wagnis ist in jedem wichtigen Werk. Und von der Weltgeschichte kann nicht gesagt werden, daß sie es nicht in sich habe die Dinge auf den Kopf zu stellen. Alles Unmögliche unternimmt sie – und nichts von Belang ist ihr zu schwer oder zu gering. So wird der Philosoph zum Kämpfer, der Denker zum Spieler, der es nach seinem Geschmack mit Leben und Tod wagt.

Erwähnung getan

Oft purzelt ein Kartenhaus. Den Spieler starrt die unglücksvoll gähnende Wüste an. Weil er sich an eine Nußschale klammerte, darum erlitt der Verwegene Schiffbruch. Es geht nicht immer jeder Versuch gleich auf. Mancher kanns, ein anderer bleibt jedoch der ungebildete und ungelernte Hans. So ist es halt im Leben. Man zwingt den reitenden Teufel nicht immer zu eilfertiger Katzbuckelei. Das Elend will ja auch seine Berechtigung haben! Vor Gott und den Menschen. So weiß es der Gewitzigte. Unfreundlichen Hitzköpfen begegnet ein Wissender fast überall. Die Kerle nehmen es mit der öffentlichen Ordnung in der nächstbesten Nachbarschaft nicht so genau. Jeder meint jeden urtümlich übers Ohr hauen zu können; und so entsteht mancher gefährliche Wirbel.

Stimme eines Leseabends

Enzensberger meint: Daß das Alte nicht neu sei – und so spielt er das Altklassische gegen das Neutechnische aus: Die Rollen der großen Begebenheiten gegen die winzige Pluralität des rhythmischen Wortes setzend ... das ist mehr als ein Ulk mit der Einfalt des Ungebildeten. Er macht keine messianischen Verheißungen, erlaubt sich vielmehr den Witz mit der modernen Bedrohung von den gierigen Leidenschaften ungezügelter Macht – die von unten kommt als ein Ruhestörer bürgerlicher Gewohnheiten. Wirft sich zum naiven Lehrmeister auf; und stellt dem Begriff des „Stadtrabers" einen regelrechten Passierschein aus ... Enzensberger, er ein kleiner Revoluzzer.
Macht sich über die Strategie aller hohen Kronen halb derb, halb unbeholfen lustig; meint dann wieder – vom hohen Kothurn seiner anfänglichen Äußerungen – in das bürgerliche Tempo des harmlosen Alltags zurückfallend, daß menschliche Stärken und Schwächen unbedingt nötig seien, um den Leib Leib und das Element Element bleibenzulassen. Und so gibt Enzensberger sich, lammsfreundlich oder stockfeindlich, überall wo er meint Unrecht zu verkünden auf eine diplomatische Art und Weise, anders gesprochen wieder recht. Ein Kunststück, von einem Dichter gezeitigt ... das Durchbruch wohl sein könnte, wenn es Durchbruch wäre. Jaja, Ihr Herren Verleger!

Prophetischer Zug

Ob es reicht, die Wolke zu fürchten, das weiß ich nicht. Aber eine Klugheit von den Lüften, eine Ahnung vom Wind und eine Idee vom Sturm zu haben, das mag sich wohl schicken. Immerhin muß der strebsame Mensch viel mitmachen: Im Gewande und in der Haut. Oft seiner Liebsten zur Lust, manchmal seiner Liebsten zum Trotz. Ja, wer, ob Jüngling oder Mann, würde auch dem weiblichen Geschlecht gegenüber zeitlebens ein sanfter und lammfrommer Heiliger bleiben? Wäre das von einem Vertreter des starken Geschlechtes nicht zuviel verlangt; die Schwächen kommen und gehen, und mit ihnen kommen und gehen die Sünden; der Narr kann zum Büßer, der Schmarotzer zum Eremiten werden. Nichts ist ausgeschlossen auf der Welt ... So steht es in manchem Kalender zu lesen.

Kümmerliche Reste

Das war Curyna. Diese Alte mit den trüben und triefenden Katzenaugen versetzte mich in Schrecken. Ich wußte im ersten Augenblick jedoch nicht aus welchem tieferen Grunde. Gewiß, da war ich, der fremde Besucher. Aber ich konnte sie doch unmöglich für eine notorische Giftmischerin halten. Aber ja, was das gewichtige Rätsel an ihr war, das herauszukriegen war nicht eine mir angeborene Sache. Denn ich war weder Entdecker im Guten, noch Tyrann im Bösen.
Und dann trat Filigran aus dem Nebenzimmer. Er tat den breiten Mund zu folgendem Ausspruch auf: „Das ist ja schrecklich, was die Gänse schnattern!" Mit solchen und ähnlichen Beweisstücken wußte mir der falsche Frömmler seine albernen Vorhaltungen zu machen. Und ich wäre ein schlechter und erbärmlicher Romanschriftsteller gewesen, wenn ich seine voreilige Gegenwehr nicht zu deuten vermocht hätte. Aber erst sein Bruder Kickeriki war der geborene Geizhals. Von ihm konnte ein notleidender Lebendiger alles, nur nicht Hilfe, Gunst oder guten Rat haben. Ja, mit Kickeriki einigermaßen als Mensch zu Mensch auszukommen, das war noch viel ärger als Spießrutenlaufen. Er sah nämlich in jedem Christen einen Heiden – und in jedem Hund einen ausgewachsenen Wolf.
Curyna, Filigran und Kickeriki, das waren die kümmerlichen Reste einer aus den Fugen geratenen Gesellschaft. Man wußte nicht wovon sie lebten, man wußte auch nicht mit wem sie es hielten. Trotzdem

mochten sie da und dort ihre dunklen, aber einträglichen Geschäfte haben. Denn von der Luft klauten sie nicht das Brot und vom Winde stahlen sie nicht den Wein. An Fisch, Fleisch und Salz fehlte es in ihrem Küchengeschirr ebenfalls nicht. Vielleicht daß sie sogar heimliche Leckermäuler waren. Was ihre ganze Physiognomie natürlich in ein völlig anderes Licht gerückt hätte.

Im Aufstande der Literaten

Das Wesen hat seinen Schein; unsere besten Zeiten gehen vorüber. Ja, auch die besten Momente halten es mit ihrer hochzuverehrenden und wohllöblichen Gegenwart kurz bei uns aus. Notwendigkeiten, Pflichten und Verpflichtungen, Siege und Niederlagen, sie machen uns zappeln und schnaufen als ginge es zusehends einen steilen und unheimlichen Berg hinan. Der ersehnte Gipfel jedoch ragt weiter und weiter in der unerreichbaren Ferne mystisch und gottselig, aber weltfremd und menschenfern empor.

Der Mensch in seiner Liebe, also der Glaube in seiner Gnade, aber ist ein Wanderer auf der Welt, der gekommen ist um die Kranken gesund zu machen, um die Schiffbrüchigen der Stunde zu retten, um die Verfolgten des Schicksals zu schützen. Die schnöde Welt aber, weil sie nichts Besseres zu tun weiß, sie predigt den Aufstand der Literaten, und spielt Sein und Nichtsein gegeneinander aus. Oft ist es auch der traurige Fall, daß diese gefürchtete Welt dort, wo sie Friede und Eintracht säen sollte, Uneinigkeit und Schande in die Wege leitet; und wo sie Fruchtbarkeit und Fülle hervorbringen sollte, Not, Elend und Verbannung auf den Plan hetzt. Denn sie ist in verworrenen Zeiten, in krankhaften Epochen, in durchtriebenen Zeitläuften eine lasterhafte und gottlose Person, eine durchtriebene und gefräßige heidnische Blutgöttin. Aber die Narren klammern sich an sie! Von den Toren hat sie nur Anbetung und stumme, hündische Ergebenheit zu erwarten! Den Zeichen des Lebens setzt sie die Zeichen des Unterganges entgegen.

Von Zug zu Zug

Die Seele dichtet mit der Gnade Engeln um ein Bestehen wider Nichts und Schaum. Sie hofft ein leichtes Werk der Güte. Aber welche Frage des Ich löst ohne allgemeines Wesen sich der suchenden Leidenschaft? Es gibt keine Bleibe der Leidenschaft! Auf Biegen und Brechen ist alles im Wandel begriffen. Und so wird der Schatten Herrschaft gelegentlich gegen das Licht ausgebreitet: Ein giftiger Floh, ein großer Fluch, ein greiser Luzifer. Und dann hat es bald den Anschein als sollte den dunklen Mächten der Zerrissenheit nichts widerstehen. Wir glauben uns auf der Insel der Toten zu befinden.
Und du; hast du die Freude; hast du den Frieden? Geben deine heimlichen Tränen dir nicht zu trinken? Übe Vorsicht, mein Freund! Jede seelische Pein ist eine gefährliche Buhlerin ohne Edelmut und Treue. Hat sie den ahnungslosen Gegner erst eingefangen, dann freut sie sich ihres Opfers – und mag er zappeln bis zum letzten Tage seines dornengekrönten Erdenwallens. Ja, oft ist man im Zeichen, doch – der vielversprechende Hauch verweht. Die tödliche Langeweile kehrt wieder, man wird des Lebens überdrüssig und gäbe sich auf, wenn davon nicht Schimpf und Schande kämen. So kämpft sich unsere angegriffene Natur zwischen Links und Rechts zum morgigen Wohin durch.
Es ist keine Hetz bei Tanz und Genuß; und ist auch keine Hatz bei Büchse und Wild. Gewohnter Alltag vor und hinter uns! Hier der einsame Mann, dort die einsame Frau. Doch das Volk hält zum Volke. So steht's, mein Alexander! Du hieltest mich für ein Zwerglein. Aber das winzige und harmlose Zwerglein wird bald aus dem grauen und vermorschten Baumstrunk steigen, darauf kannst du dich verlassen. Von Zug zu Zug weiß der Feind was er seinem Feinde schuldig ist. Und Abrechnung wird nicht nur unter großmächtigen Tyrannen, Abrechnung wird auch bei kleinen Leuten gehalten. Bist du froh, daß du nur ein kleiner Mann bist – wie ich auch in deinen Augen? Nein, der Gedemütigte verzeiht nicht gern; und es ist die Frage ob er überhaupt verzeiht. Nein ich trage niemanden was nach; aber wenn einer etwas nachgeworfen haben will, dann bin ich nicht im Zweifel darüber, wer dieser eine ist. Und du bist es. Immer deutlicher und genauer fühle ich, daß du es bist. Hüte dich, Weltbürger. Ich habe Zeit an dich zu denken so wie der Fuchs an den Hasen. Darum kocht sich jetzt mein Brei dir zu einer gehörigen Suppe. Wer keine Muse anerkennt, der soll auch keine Treue erwarten. Von Zug zu Zug gleicht die irdische Gerechtigkeit alle Unebenheiten kopfloser Philister aus. Genügt es?

Pfade der Seelen

Aus dem tödlichen Schweigen ins Ungerufene des Bewußtseins rettet sich das gerettete Selbst. So manchen der Sucher, Träumer und Streber verlockt eine Stimme ins Letzte hinüber, das kein Antlitz, kein Bild und kein Werk ist: Aber du hast es in dir, mit den Fratzen der Tücke zu spielen auf Leben und Tod. Und das Wunder geschieht, wenn die Fabel der Träume erfüllt ist an verlassenen Ufern! Nimmer hetzt dich die Angst. Nimmer plagt dich der Wahn! Alle Rätsel scheinen gelöst und alle verschlungenen Knoten entwirrt zu sein. Mein Herz, du Kind deiner Seele, was willst du dann noch mehr?

Der Dreinreder

Sich alles Edle recht zu Herzen gehen lassen, Makarius, das wäre der heldenmütigen Einsicht zuviel. Und die Frauen, was würden die dazu sagen, wenn wir auf sie keine Rücksicht mehr nähmen? Es hat doch keinen Sinn, den Dilettanten und eingefleischten Egoisten zu spielen. Die Kunst in allen Ehren. Aber aus seinem eigenen Selbst immer nur den Epigonen an den Tag zu bringen, zu welcher bedeutungslosen Fratze muß in dem Falle in der Folge einer nicht werden? Ich rate dir dringend davon ab, weiter und weiter deinen unverfrorenen Heldenmut in Bezug auf Dinge, Menschen, Leidenschaften, Einbildungen, Ahnungen, Visionen und Forderungen zu haben. Der Mensch mag gelegentlich seinen universalen Geist haben, seine universalen Möglichkeiten jedoch besitzt er nie und nimmer. Und was muß einem gewöhnlichen Sterblichen auch fort und fort die Idee zu Kopf steigen, daß er allenthalben „unentbehrlich" sei? Es mache sich einer doch kein unmögliches Theater vor! Der Mensch hat seine lebendigen Sphären im Jetzt, aber er besitzt sie nicht für die Unendlichkeit. Er lege sich manche weise Beschränkung auf. Von Kapitel zu Kapitel und von Akt zu Akt vollendet sich unser Sein. Dem Erlebnis und der Anschauung nach erleiden wir Welt und Schicksal. Oh, laß es dir gesagt sein, Makarius, keine Stufe ist ohne Grund – und kein Gipfel ohne Überhöhung. Das gilt für alle Tage des Empfindens.

Willige Bereitschaft

„Komme was will; aber komme nicht, was nicht kommen soll!" Oh, man macht sich seine Gedanken; man leidet an seinen Empfindungen. Zuweilen geht einem die Phantasie durch. Oft meinen wir das letzte Ergebnis vor uns zu haben, aber da täuschen wir uns sehr. Und himmelweit klaffen die Pole von Wunsch und Erfüllung auseinander. Vom Schein zum Sein ist ein unermeßlich weiter Weg. Das vergängliche Ich hat mit dem unvergänglichen Gott zu ringen um Gnade, Auferstehung und Sieg. Denn es gibt kein irdisches Bestehen ohne den Streit mit dem Geschick. Doch unser Herz rafft sich auf. Nicht immer wie ein tobender Orkan; von Zeit zu Zeit aber läßt es sich als bemerkenswerte Stimme der Welt vernehmen. Nein, wir brauchen uns unseres redlichen Gewissens nicht zu schämen. Man hat seinen bürgerlichen Charakter; tut als Arbeiter seine Pflicht – und erregt ansonsten kein übermäßiges Aufsehen. Denn die meisten Leute haben ja keine Zeit einen Durchschnittsmenschen zu beachten oder zu verstehen. Man gibt sich in geschäftstüchtigen Kreisen mit ganz anderen Dingen ab. Dabei kann das bescheidene Talent auf Entgegenkommen und Verständnis lange warten. Und nur wer kein Hasenfuß vor den Geheimnissen des Daseins ist, der wird sich auf der Höhe von Gesetz und Tugend ungeschlagen behaupten können. Mit anderen Mitteln geht es nicht!

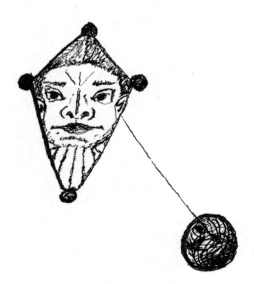

Europäischer Zopf

Der Menschenseele kann das Chaos zum wilden Tier werden. Armut, Not, Bedrängnis, Trübsinn und Genie können seine mehr traurigen als lustigen Folgen sein. Der so Geplagte wird leicht zum Heimatlosen der bei Wasser, Licht, Holz, Essen und Zeitung einen mehr melancholischen, als dichterischen Winter erlebt. Ein theoretischer Kauz wird selbst im März nimmer zum hymnisch beschwingten Musensohn. Was er in der Gesellschaft sucht, das wären Verständnis, Entgegenkommen, Anerkennung, Gunst und Erfolg. Statt dessen gerät er, wenn er ausgesprochenes Pech hat, wie dieses Zwanzigste Jahrhundert es allen mythischen und mystischen Helden hauptsächlich beschert, in die aufpeitschenden und verwirrenden Sphären der leichten Musik; es geistern um ihn die hysterischen Figuren des Duells herum; statt der Echtheit in der Kunst gaukeln um ihn die Larven der späten Nachahmer und gerissenen Fälscher herum; auf dem Wege zum Glück aber verdient er höchstens soviel Geld um das Existenzminimum zu fristen; und eine verfehlte Literatur bleibt letzten Endes seine gewagte und mysteriöse Beschäftigung.

Wem aber würde es auf die Dauer wohltun ein Opfer der Boheme zu sein; Wem würde es zu Hoffnung, Trost und Aufmunterung sich mit schlechten Suppen, alten Knödeln, faulem Kraut, schwarzen Kartoffeln und saurem Gulasch abspeisen zu lassen? Nein, nicht der Irrsinn rettet den romantischen Mann vor dem Abstieg in die weitverbreitete Schicht mittelmäßiger Leistungen und pseudokünstlerischen Ruhms. Besser ist es von Gesundheit zu strotzen, als in vagen Einbildungen, kreischend und krächzend wie ein in die Schlinge gelaufener Geier zu vergehen. Denn alle wirkliche Kunst kommt nur vom Wesen der Tat.

Ein gewisser Herr Styl

Das Spiel der Vergänglichkeit vollenden die rollenden Tage bald so, und bald so. Und das oft zum Jammer der leichtlebigen Mitwelt. Ein gewisser Herr Styl könnte davon ein Lied singen. Nicht jede Freude bringt das bleibende Wunder. Nicht jedem, der ein gewiegter Künstler ist, blüht der unsterbliche Lorbeer ... Solche und ähnliche Erwägungen tummeln sich durch ein waches Gehirn. Und hauptsächlich dann, wenn sich der männlichste Wille durch die Gassen der Beständigkeit windet. Nein, dem Lebendigen darf es an der Luftzufuhr des Seelischen nicht fehlen. Dem rabenschwarzen Hokuspokus des Unglücks gilt es unerschrocken an die Gurgel zu springen. Wer seinen chronischen Todfeind erkennt, der messe sich mit ihm auf Biegen und Brechen. Man ist ja doch nur einmal Mensch, man steht ja doch nur ein einziges Mal auf der weiten Welt da. Und dann ist wahrscheinlich Schluß mit Jubel, Amen im Gebet und Ende der Vorstellung. Denn ein vorausgegangener Krieg lehrt es dem anderen nachfolgenden Krieg was und wieviel Böses auf Gottes runder Erdoberfläche möglich ist. O ja, dem unverdorbenen Betrachter könnte es bei der Erkenntnis schlimmer Entdeckungen oft die Halsader platzen machen.

Kurzatmiges

Die Sprache ist ein Bildungselixier.
Viele Anfänge werden leicht zu unmaßgeblichen Querschnitten.
Manche Methoden, die lange geübt werden, beweisen nur, daß der Mensch ein Allesverdauer ist. Er fräße Steine, wenn es sein müßte, doch – lieber hält er sich noch an das eigene Fleisch.
Mit vielen und namhaften Wundern ist die weite Welt ausgerüstet, doch alles alltägliche Tun, Lassen und Sein ist eher von einer unumgänglich beschränkten Art.
Wir sollen nicht zielen, wo wir nicht treffen können. Patzer und Pfuscher gibt es ehedem genug.
Den Leuten von heute paßt der Satan ins Kraut; denn ohne ihn würden selbst die gesuchten Rüben verderben.
Weiter und weiter findest du deinen Trost, suchst du dir den notwendigen Mut, erfindest du dir einen unentbehrlichen Zukunftsglauben … aber was der lebendige Gott nicht gewährt, das ist und bleibt allemal eine kopflos sinnwidrige Sache. Mag der klassische Ästhetizismus dabei in seiner ganzen Batterie wie aus allen Rohren schießen.

Verehrte Leser

Zu manchem Schicksal
hab ich schon geschwiegen.
Von mancher Halbheit
wußte ich Bescheid.

Gelingen wollte
manches mir entkommen.
Mißlingen suchte
manches ernst mich heim.

Aus einem Faden
macht man kein Gewebe
für hundert Tücher –
viele Fäden braucht es.

Die Peiniger
der Stunde bleiben Hunde.
Es gibt kein Agio
das der Luchs nicht nützt.

Der Teufel hole
Schwätzer und Betrüger!
Wenn du zum Aas wirst
wollen sie das Aas.

Das neunzehnte
Jahrhundert zu bezwingen
ist mir gelungen ...
Man verdenkt es mir.

Der Betroffene

Auch ich
könnte gehen;
wie die anderen
Herren der Schöpfung.

Aber ich bleibe;
dichte und schreibe
unbekannt vielgenannt,
an Herz und Seele verbrannt.

Auch mir
winkt die Welt ...
wie den anderen Söhnen
und Töchtern der Zeit.

Aber ich lache;
sinne und weine –
ruhelos, seelenschwer
Fisch im rollenden Meer.

Begegnung mit einer Zwergin

Es ging die kleine Frau vom Haus.
Sie stak in ihren Schuhen
wie in bemalten Truhen.
Der Mond stand gegenhoch vom Haus.

Ich sah die kleine Marzipan
sich durch die Gassen winden
voll Inhalt und Empfinden ...
Das stand gewiß in ihrem Plan.

Geht so ein kleiner Mensch vorbei –
und steigt er von den Stufen
des Stockwerks ungerufen
klingt es wie ein gehetzter Schrei.

Sei Maß dem Maß und Sinn dem Sinn
verweigere den Normen
die kritischen Reformen:
Das führt zur Klugheit immer hin.

Und bist du nicht der Misanthrop
um den die Hunde bellen
wie finstere Gesellen
gebührt dir vor den Leuten Lob.

Doch hat das Unheil in der Hand
dein Tun und dein Bezwingen
wird es die Fuchtel schwingen
um deiner Ehre Unbestand.

Der kleinen Frau ist nichts zu schwer;
sie weiß von schweren Stücken
mit einem steifen Rücken ...
und wenn es ein Gewitter wär.

Begegnung mag es eine sein,
sich mit der Kleinheit messen
in drastischen Prozessen!
Das Faß dem Wasser, Krug dem Wein.

Ein trüber Novemberabend

Hinter einem finsteren Berge
schlafen die traurigen Zwerge.

Die Sonne geht auf, die Sonne geht unter:
Sie werden nicht wach und nicht munter.

Sie schlafen hundert und tausend Jahr,
die Erde bleibt die sie immer war.

Die Zwerge gähnen, die Zwerge träumen,
sie schauen den Wald voll entblätterten Bäumen.

Es sind Herbst und Winter in ihren Seelen:
Ein böses Gerücht im Bau der Juwelen.

Ein schwerer Bann, ein harter Fluch
dichten ihnen weder Pfade, noch Buch.

Bis einst einmal ein fanatischer Dichter
es aufweckt, das faule Pygmäengelichter.

Nummer eins

Ich will nicht lachen,
einsam will ich sein
mit meinem Drachen ...
und dem Edelstein.

Gott gönnt dem Schwachen
viel von seinem Schein!
Und sinkt der Nachen
liegt der Dauer Stein.

So hat die Runde
immer ihr Gesicht
von einer Kunde –

und von einem Licht.
Willst du tadeln
daß sich Träume adeln?

Tragödie einer Jugend

Mit kühnem Schritt
willst du die Welt umfangen;
und sei's ein Ritt
durch Kröten und durch Schlangen.

Wer Stürme litt
dem ist die Ruh vergangen!
Er weiß sich quitt
mit Fürchten und mit Bangen.

Ein großes Los
mit vielen kleinen Lücken:
Sich aus dem Schoß

der Erde zu entzücken
zum Licht empor ...
das Strahl und Glanz verlor.

Einige Schritte

Noch eine Spur
von einem toten Wind.
Grün blüht die Flur –
und Blumen pflückt das Kind.

Ein Luftzug nur,
um den die Engel sind:
So weiß Natur
wer ihre Brüder sind.

Der Mond geht auf
am Turm der Mitternacht;
vom Sternenlauf

unendlich überdacht ...
Du fühlst dich klein
in Wesen, Werk und Sein.

Geistige Teuerung

O, was kostet mich das!
Der Ruhm und der Name,
der Wille, der Stolz,
die Idee, das Genie.

Auf der Fährte des Glücks
ein abgemagerter Wolf,
ja, das bin ich dem Himmel –
und der Himmel spuckt Blut.

An den Quellen der Qual
ein Dürstender bin ich nach Leben ...
an den Ufern der Hoffnung
ein Flüchtling verschollener Inseln.

Und das Weltmeer der Zeit
bewirft mich mit Wogen der Strenge!
O, was hab ich verschuldet
daß jeder Gedanke mir zürnt?

Fahrende Wolken

Die Nacht war kühl.
Ich ging im Wald spazieren
um dem Gefühl
die Zeit nicht zu verlieren.

Mein Kopf war schwül.
Es mochte mich genieren
nah an der Mühl
mich wie ein „Hirsch" zu zieren.

Das Wasser floß ...
Wie mich die Welt verdroß ...
Griff – und Geschoß.

Dann aber nahm
ich Abstand von der Scham
des Kleinmuts feig und zahm.

Eigene Art

Laß es dir sagen:
Schwere Gedanken
beugen den Mut,
aber nicht das Herz.

Irrst du im Kopfe
hat es dir Zunge und Mund.
Schwebst du im Wesen
baut es dir Stufe und Turm.

Alternde Zeiten
tragen das Gestern zu Grabe.
Kommende Stunden
Quellen aus ewigem Born.

Wer sich nicht umtut
wird in der Enge ersticken.
Freiheit die frei macht
bringt die entschlossene Tat.

Getrübtes Ich

Dein Wort ist so
daß es dich schweigen macht ...
Dem Frühling froh
hast lange du gewacht.

Der Lenz blieb aus,
der dir zu blühen schien.
Oft um dein Haus
die grauen Nebel ziehn.

Im Grunde ruht
die Lilie ohne Traum.
In kalter Glut
steht der Gedankenbaum.

Dahin, vorbei
was schön und lustig war.
Zum stumpfen Schrei
wird dein Geschick im Jahr.

Umkehr

Nimmer ist der Pfad mir gut,
den ich lang und weit gegangen.
Alle heiße Wanderglut
wurde mir zum trüben Bangen.

Aller lerchenfrohe Drang
wurde mir zum Ungewitter.
Ob ich oft die Lanze schwang
bin ich noch ein schwacher Ritter.

Keine heilige Geduld
kann mir mehr den Adel geben!
Hier der Wunsch und dort die Schuld
teilen streng sich in mein Leben.

Poesie und Untergang
sich um meine Seele streiten:
Ohne Wort und ohne Klang
grüßen mich die Wirklichkeiten.

Alles ist ein dumpfer Zug
in das ungewisse Morgen.
Sehnsucht die die Fahne trug
schleicht im Kittel jetzt der Sorgen.

Magische Stimmung

Offen ist die Tür im Grunde
und das leise Lied verklang.
Aus der heimgesuchten Runde
kommt die Melodie in Gang.

Jagt der Tod die schwarzen Hunde
fällt die Welt in dumpfen Klang:
Wer mit seinem Glück im Bunde
auch den Lauf des Lebens zwang.

Mängel, Fülle und Gelingen
haben ihren festen Plan
in den aufgeregten Dingen.

Starrt dich die Meduse an
sollst du keine Katze fragen
was der Mäuse ihre Plagen.

Von fernen Lichtern

Ich weiß ein Meer.
Ein leichter Wind geht auf.
Mir wächst die Sorge
um die Wogenbrust.

Es ist kein Glück
dem Wetter zu erliegen;
doch Schande keine
seinen Sturm zu leiden.

Komm Stille, komm;
und laß mich ruhig atmen
den Glanz der Stunde
und den Traum der Welt.

Nacht ist im Rätsel
und im Tun ist Licht.
Im Wahn ist Elend
und im Heil ist Kraft.

Oft hat ein Engel
mir schon zugerufen
von dem und jenem
Wunder seinen Sinn.

Ruhm der Legende
ist es Trost zu geben,
eh der Philister
Chor Tiraden schwitzt.

Du mußt es hören
daß sie dich verkennen;
und mußt es leiden
daß sie dich verwirren.

Wer Mann ist dulde
manchen Zeigefinger!
Wer Held will sein
der muß die Hölle meistern.

Gewonnener Inhalt

Herbst ist's geworden;
und die Tage steigen
von hohen Leitern
allgemach hernieder.

In reifen Ernten
schillern die Gefilde
ein letztes Atemholen
der Natur.

Mir ist's bewußt
daß ich auch reif geworden
vor der Berufung
bin der Wirklichkeit.

Vernunft und Stille.
Gegenwart und Wissen.
Aus alten Dingen
blickt ein letzter Gruß.

Gar kaltes Blut

Noch eine Weile
eisig mal eisig;
noch eine Weile
bitter mal hart.

Kugel dem Köpfchen
oder Gelingen;
Weltgeltung oder
herbstliches Grab.

Wie sich die Götter
machen zu Häschern!
Wie sich die Windsbraut
wölbt zum Geschick

ragenden Tempels,
stürzender Säulen,
krachender Trümmer ...
Stille und Tod.

Ein Seelenleiden

Ihr habt mich auf Raumebene
zertrümmern wollen –
und ich habe euch auf Lichtebene
hineingebumst!
Wer „macht" den Phantasten?

Ihr habt mich auf Weltebene
vernichten wollen –
und ich habe euch auf Zeitebene
hineingebumst.
Wer verspricht sich dem Abgrund?

Ihr habt mich auf Spielebene
erschießen wollen –
und ich habe euch auf Zeitebene
hineingebumst.
Wer spielt den Verrückten?

Man soll nie ein Mädchen
und man soll nie einen Liebhaber
ermorden bevor
man das Fell der Bären nicht hat.
Wohlgemerkt! alles hat seinen dramatischen Grund.

Besinnlicher Wald

Hoch schlägt die Sonne
an den Mittagsrand.
Die grauen Berge
ragen in die Sphären.
Das Tal ist frei
von jeder Wolkenwand.
Wer kann sich diese Gegenwart erklären?

Mein Schritt geht fließend
durch die Einsamkeit;
und Stimmen schwirren ...
„Herz, bist du bereit?"
„Gib auf das Irren,
koste Seligkeit!
Das muß den Knäuel
jeder Qual entwirren!"

Nadelspitze Kirchturm

Schneeweiß die Alpe,
hoch der blaue Himmel;
im Eisacktale
draußen leichter Dunst.

's ist Februar.
Ich sitze auf dem Bänkchen
hoch bei Sankt Jakob
und schaue in das Tal.

Schwer rauscht der Bach.
Der Wind fegt um die Ohren.
Die Bäume rauschen.
Es ist Nachmittag.

Die Sonntagsstille
in der weiten Gegend
macht mir erschauern
das bewegte Herz.

Für Tierliebhaber

Im großen Lande Paptuachsana
ist die Schildkröte daheim.
Ich weiß nicht wie sie dort hinkam
und weiß nicht wann sie dort ausstirbt.

Im großen Lande Paptuachsana
gibt es viele Schildkröten –
und zählst du die Jahrtausende
ihrer Lebensdauer zusammen

so kommst du auf ein hübsches Sümmchen.
Im großen Lande Paptuachsana
ist das hohe Lebensalter daheim
und willst du auch alt werden, so geh dorthin.

Du würdest dann freilich
zum Paptuachsaner;
aber was verschlägt's wenn du glücklich bist
mit der neuen Ordnung?

Unsterblichkeit und Wunschbild

Du hast die Welt geliebt –
und sie war dein.
Dann kam der Tod –
und sargte früh dich ein.

Was soll der Ruhm,
der keinem Spätling nützt?
Du bist der Ruhm –
und ich bin abgeblitzt.

Bin abgeblitzt;
jedoch nicht ganz, o nein!
Stirb völlig du –
und laß mich völlig sein.

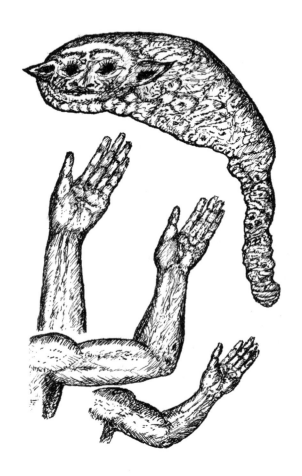

Zum Beispiel

Schreibe gut und besser deinen Frieden
in die Blätter der Begebenheit.
Bist du von der Schwächen Bund geschieden
blüht ein neuer Stil zum Glück der Zeit.

Die Gestirne und die Höllen wandern,
alles dient dem Schauspiel ohne Schluss.
Einer sagt es anders ja dem andern
als der Vormann es erzählen muß.

Kühe grasen und die Autos rasen!
Du bist Sänger – oder ein Genie.
Bankraub gibt es nüchtern sonder Maßen,
vergewaltigt ward auch die Marie.

Vater Staat hat seine Lumpensöhne ...
Ein Bordell ist bald die ganze Welt.
Hunger leidet ewig die Kamöne.
Hoch der Kaiser – und er ist ein Held.

Schall und Fall

In den Himmel gebraust
mit der eisernen Faust ...
Das sind die Roboter.
Halb kurz und halb klein
ist das menschliche Sein
der Roboter.

Maschine im Mund,
Maschine im Grund;
das sind die Roboter.
Wo der Gott nicht mehr ist
dort erobern den Mist
die Roboter.

Tierbild

Der Pudel steht.
Er steckt in einem grünen Leibchen
und träumt von einem weißen Weibchen ...
Dann sitzt er wie ein Tiergebet.

Das schwarze Fell
macht ihn zu einem zahmen Mohren;
zur Schnauze reichen ihm die Ohren:
So hockt er ... wie bereit zum Duell.

Er starrt und staunt;
und hängt an einer roten Leine;
und schnüffelt um die Mädchenbeine ...
Das Seine wird vom Kind bestaunt.

Ein Pudelvieh
zu sein ist auch ein Stückchen Ehre –
und wenn es nur ein Wörtchen wäre,
wie wenn sich ausdrückt ein Genie.

Er gähnt und nickt.
Hat er ein Märchen wohl verloren?
Schmerzt ihm der Bauch halbkurz geschoren?
Das schöne Kind in Mitleid blickt.

Ist es das Haus,
das ihm den Appetit beschwere;
ist es die schwüle Atmosphäre,
die tückisch webt dem Pudel Flaus?

Lilo

Lilo mit den Fingerspitzen
rührte leise meine Hand,
mir ein Träumchen zu stibitzen,
das ich ohne Mantel fand.

Hastig so zurückgezogen
in den wirklichen Bereich
ich von Lilo ausgewogen
in der Stimmung – wurde weich.

Flugs in meine Flammenhaare
seufzte sie den roten Kuß.
Einzig war das wunderbare
Rätsel aus dem bunten Fluß.

Selig schlang sie ihre Arme
mir um den bewegten Leib:
und ihr Herz, das himmlisch warme
lispelte: „Ich bin dein Weib".

Als sie so ihr Spiel getrieben
hatte bis zum Überdruß
fühlte ich dem Sturz verschrieben
meinen stolzen Genius.

Und die Sünde – wie die Sünde
immer falschen Wesens ist –
jagte mich durch dunkle Gründe
mit der Drohung: „Letzte Frist!".

Hänge sich an Frauenlippen
keiner ohne Nötigung.
Dein Geschick fährt durch die Klippen
und der Tod ist auf dem Sprung.

Und das Leben wird dir sauer
leicht von einem Weib gemacht.
's ist ein Kerker auf die Dauer
in der wundersamen Nacht.

Lyrische Tangenten

So einen Magen
den du immer hast!
So eine Seele
die du immer bist.

Steh auf den Füßen,
schlenkre mit den Armen;
und streck die Zunge
lustig in den Mond.

Was soll das heißen
daß ein Dichter lebt?
Was soll das geben,
daß ein Kätzchen miaut?

Die Autos laufen
mit gestreckten Bremsen!
Die Wolken eilen
mit gespanntem Wind.

Und dich zum Schemen
will dein Schicksal schlagen;
ein Ungeheuer
das kein Wunder kennt.

Sei der Apostel
nimmer der Chimären ...
Der Jünger nimmer
sei der Leidenschaft.

Geschichte in Strophen

Ich sage „Brot" –
und meine Phantasie.
Ich klage „Not" –
und fürchte das Genie.

Hart geht die Zeit
mit dem Gedanken um:
Die Wirklichkeit
bleibt Schlange für den Ruhm.

Erzählen soll
die Lippe von der Kunst ...
Die Welt ist toll –
und Lumpen schenkt sie Gunst.

Was einer Tag
für Tag ersehen mag;
zu mancher Plag
kommt noch ein Schicksalsschlag.

Das muß so sein;
ergibt sich instinktiv
zu Lust und Pein:
Der Dinge Krug ist tief.

Und fügen muß
dem Ernst sich die Person!
Der Genius
hat seinen Sturm davon.

Zoll um Zoll

Hing im Winde mein Gewissen
wie ein altes Segeltuch.
Zwischen Überdruß und Fluch
wußte ich mein Glück zerrissen.

Alles hat in tausend Tagen
seine bittere Passion.
Willst du Ruh und Ziel erfragen
gönn' der Strenge ihren Lohn.

Nebelschleier der Geschichte
kreisen manchen Hochmut ein!
Willst du Mann und Meister sein
fürchte Übel und Gerichte.

Kommt der Friede von den Träumen
oder von der Wirklichkeit
darfst du nie das Spiel versäumen
menschlicher Gelassenheit.

Besiegtes Leid

Ich fühle daß ich glücklich bin,
ein seliger Lampion.
Die Wolken streifen obenhin
den blauen Himmel schon.

Und wenn ich einst im Essig stak,
ein brummendes Genie ...
Die Sorgen steckt sich in den Sack
jetzt meine Phantasie.

Die Sense rauscht der Gegenwart
ins blühende Revier.
Mein Wille ist auf hoher Fahrt
ein golden Fabeltier.

Ob Höhe oder Untergang,
was frag ich lang danach?
Ob Wonnen oder Nachtgesang –
ich weiß mir keine Schmach.

Gerungen hat der kühne Mut
sich durch das Labyrinth
der Härte ... und der Tag ist gut
wenn Engel nahe sind.

Schon zwitschert aus der Büsche Rund
ein Vöglein sein Twitwi.
Ich halte selber prompt den Mund ...
so glücklich war ich nie.

Der Aufgeregte

Ins Nichts
mit den hochtrabenden Namen des Hohns;
in die Asche!
O ja, der Himmel
trägt bittere Beeren
dem Träumer der Wehmut.

Flieh die Wüste der Adler!
Es schenken ihm nichts
die gebleichten Gebeine
seiner eigenen Brüder.
Mir geht auf die Nerven
gewaltig ein schmerzlicher Trost.

Denn was sind mir die Schrecken;
die Fragen; die tückischen Sorgen?
Hekuba ist göttlich
und Hel eine nordische Göttin.
Mir gebricht es am Sandstab,
der über die Berge den Blitz schwingt.

Strittiges

Jedes giftige Wort,
das aus der Retorte
des Teufels hervorgeht
ruiniert eine Welt.

Vom Schaden kommt Schaden;
und so geb ich nicht ungern
dem störrischen Nörgler die Plagen
selbstherrlich und doppelt zurück.

Stimme der praktischen Vernunft

Überlasse es den Dingen
so zu bleiben wie sie sind!
Jeder muß um alles ringen,
sei er König oder Kind.

Priester bist du deiner Träume,
Henker bist du deiner Qual.
Jeder Wald hat seine Bäume –
und die Quelle sucht das Tal.

Übe dich um ein Gelingen,
sei es bitter oder süß;
doch im düsteren Mißlingen
Hoffnung dir und Sehnsucht grüß.

Keiner ist vom Glück verlassen,
der es in den Sternen ahnt!
Laß das Fürchten, flieh das Hassen ...
Stunde dich zur Stille mahnt.

Endzweck

Mir fallen die Gedichte ein
nicht wie sie jeder liebt und schreibt
von halber Lust und halber Pein,
die ihm durch Herz und Nieren treibt.

Ich setze meine Reime so
halb ein Gebrummel, halb Musik:
Wenn um die Stauden irgendwo
kotzt seinen Rausch der Augenblick.

Weltwesen lieb ich einer Art
die nicht aus jeder Wurzel treibt!
Entfernung oder Gegenwart,
was ist es mir, das länger bleibt?

Zur Dauer kommt der Untergang,
zum Zwischenfall der rasche Lauf.
Doch – schließlich nimmt in den Gesang
der Harmonie ein Gott mich auf.

Wesen und All

Langsam lichtet
sich das Gewirr.
Ich bin nicht krank,
mir ist nicht irr.

Was einer tut,
was einer läßt:
Die Welt ist gut –
und treibt ihr Fest.

Erfahrung und
Belesenheit
begreifen den
Verlauf der Zeit.

Die kleine und
die große Not,
sie hat ihr Schicksal
vor dem Tod.

Was suchst du Ruhm
und Überfluß?
Der Genius
weist dir den Schluß.

Beleidige
die Gottheit nie ...
Verteidige
die Phantasie.

Was dir die Glocke
tönt und schlägt:
Das Dasein sich
im Kreis bewegt.

So führt das Wesen
aus dem Jahr
dem All entgegen
die Gefahr.

Analyse

Ich sehe manche
graue Wolke schweifen.
Kann nicht mich selber,
nicht mein Werk begreifen.

Bald murrt der Magen,
bald vergehn die Nerven ...
ein Unbehagen
schwerlich zu entschärfen.

Und alle alten
Mängel, die geblieben,
die Hoffnung spalten
mir mit schweren Hieben.

Das ist kein Aufstehn,
doch – ein Untergehen!
Man muß sich vorsehn
wo die Ochsen stehen.

Tabak zu kauen
will mir auch nichts nützen ...
Das ist ein Grauen
für geübte Schützen.

Die Welt und Du

Die Welt will leben, du auch lebst in ihr.
Mach dich dem Unglück nimmer zum Vasallen;
laß deinen Hochmut in die Disteln fallen –
es springt dich an kein Krokodil mit Gier.

Die scharfe Schnauze meide der Gewalt!
Du mußt zur Eintracht mit den Dingen finden,
die Existenz der Wirklichkeit verbinden:
So wird dein Trug zur handelnden Gestalt.

Die Stunde schlägt. Das eilt und macht sich ganz.
Du mußt dich auch im Augenblick erfüllen
und deinen Willen der Natur enthüllen:
Die Wahrheit ist kein flüchtiger Popanz.

Wer nicht im Sinn ist, ist im Untergang!
Doch wer zum Wesen ist der Kunst gekommen
dem wird die Zukunft mit der Freude frommen –
und alle tauben Flöten werden Klang.

Schmerzliche Erinnerung

Die Wolken flogen
um den grauen Tag;
und um den weißen
Schatten die Gespenster.

Die Welt war blind
für Wirklichkeit und Wahn;
sich selbst zum Schicksal
und sich selbst zum Leid.

Ich hätte schreien,
hätte sterben mögen ...
Ein Abschied fiel
mir zentnerschwer aufs Herz.

Seit jenem Tage
hasse ich die Hoffnung ...
Seit jenem Unglück
fürchte ich das Glück.

Die Menschen helfen
dem nur, der sie peinigt!
Die Leute dulden
den nur, der sie schimpft.

Wer sein Gewissen
für den Ernst erzogen,
der bleibt ein Esel
auf den Jüngsten Tag.

Der wirkliche Gott

Hügel auf und ab die Wälder
breiten sich von Berg zu Tal.
Steile Pfade, grüne Felder
lösen dich von Angst und Qual.

Mitten in den Buchten drinnen
überrascht dich dein Genie!
Frisches Wollen, klares Sinnen
wächst am Quell der Phantasie.

Weiter gehst du deine Strecken
in Gedanken rundundum.
Fuchtelst mit dem Dichterstecken
aus dem Lorbeer in den Ruhm.

Eilst hernieder zu den Wellen
die der Bach ins Weite schickt!
Mußt dich nur dem Leben stellen –
und der Gott hat dich erblickt.

Nicht Luft, nicht Wind

Säen den Sturm
laß ich die anderen Götter.
Säen das Chaos
laß ich die andere Welt.

Launen der Menschen
bleiben wie Launen der Tiere!
Laster der Seelen
wuchern im blühenden Sumpf.

Zeiten der Nachsicht
hab ich noch keine gefunden.
Stunden der Einsicht
blühn dir an keinem Gebüsch.

After der Schlangen
kannst du schon eher erblicken
als daß ein Vöglein
säng dir die Strophe der Lust.

Aber du sollst dich
keinem Orkane verschreiben.
Dräue der Himmel
auch mit der schwärzesten Flut.

Apokalypsen
brauchst du dir keine zu malen!
Finstere Reiter
gibt es die Menge im All.

So wie die Völker
heute das Wesen bestellen
meide die Runden
blindlings entfesselter Wut.

Lebe im Leeren
also des besseren Schweigens ...
Bis sich der Schwätzer
Aufruhr die Finsternis kaut.

Pragmatik

Hinter Kuhschwanz und Ziegenbock
hab ich meine Kartoffeln geröstet
im Windrausch des Herbstes;
und das Drama des Krieges

verhallte im Osten – und ging
auch im Westen zur Ruhe.
Das war meine erste Idee
vor dem Streit um den Wert der Ideen.

Revolutionäre Gesänge
erfüllten im Nu die Gemächer
der Sozis und Spezis
so daß sich die Wände bald bogen

der gewaltig erregten Geschichte.
Es kam auf den Essig im Rausch an.
Und wer nicht zur Leiche geworden
der konnte die Knochen noch raspeln.

Ich raspelte meine!
Ein Ringen um Sein und Erkennen,
eines Martin Luther wohl würdig
ergriff mich im chaotischen Banne

der gräßlichen Marx und Engels.
Die Soldaten des Zaren
hatten es mir schon verraten
(sie schliefen mit mir im gleichen Zimmer

und die Herren Gefangenen
gingen mit den Stiefeln ins Bett!)
daß irgendeine große Komödie
todsicher im Anzuge sei.

Ich verstand doch nicht viel von der Suppe.
Sechzig Jahre habe ich nun
die Russen aus dem Auge verloren –
und die Welt ist zum Monde gelaufen.

Hymnus

Alle edlen Gestalten
aus den Furchen der Sehnsucht zu rufen
ins Lebendige auf
kann deinem Ergrimmtsein nicht schaden.

Wo aber wohl willst du dich fügen
der alltäglich erhitzten Geschichte
von Verdruß und Vergnügen?
Meinst du denn ein Maß noch zu setzen

über Weite und Ferne,
die den Alltag in Fransen oft reißen
mit verhetzter Gewalt ...
vor der sich Kaninchen verkriechen?

Kranker Mensch, wird er Bildner?
Oder entgleiten ihm Tugend und Adel
in ein namenlos Nichts sich verlierend
bei der menschlichen Sitten Bemühen?

Mit der Welt hat's ein Stockfisch!
Wer da rostige Sensen will wetzen
mit den Genießern der Welt hat es schwer
sich Dauer und Regel zu finden.

Keine Angst soll dir bleiben,
keine Spur, keine Art, keine Richtung!
In jede betörende Unart
will sich die Periode verwandeln.

Und dem Wesen muß schlecht sein.
Schlecht um Begriff und Erkenntnis,
schlecht um Geduld und Erfahrung,
schlecht um Erfolg und Nation.

Aber Treue will keine dir bleiben,
nicht zu dir und nicht zu den Geschicken.
Der Wind sucht die Äste zu knicken
dir über den Wurzeln im Greifen.

Die Kauernde

Du rufst sie nicht auf
aus den stündlich gefühlten Relikten
unnennbarer Qual.
Ihr ist das erschütterte Herz
von tausend Prozessen gebrochen.

Doch lebt sie, sie lebt;
die Kauernde unter den Eichen
der mürrisch verekelten Landschaft
lebt dem tötenden Tage
der eisernen Hunde entgegen.

Wo blieben die Großen?
Wo blieben die Herren der Reiche
in welchem Versagen befangen
um die Träume des Blutes
an Bäume der Ohnmacht zu binden?

Henkerin ... so vergaß sich die Welt.
Ideologien der Blindheit
erstachen die Hälse der Müden
um ein Rudel von gierigen Wölfen
mit den Muskeln der Toten zu füttern.

Und so kauert sie schlaflos sich hin,
die vergessene Greisin, die Mutter
von satanisch ermordeten Kindern;
und es drucken die närrischen Bücher
Verleger von närrischen Leuten.

Debakel, Spektakel ... o Hölle!
Die Kauernde fühlt die Vernichtung
sich aus den sumpfigen Steppen erheben
zum Segen parlamentarischer Sitten.
Dritter Weltkrieg bereitet sein Omen.

Ablass

An Martin Luther
denk ich nicht dabei:
Wenn ich die Stunden
toter Müh beklage.

Der Mensch ist Sklave
oder er ist frei!
Er wird zum Grabwurm
oder wird zur Sage.

Die Seele hat
kein großes Recht dabei
daß sie den Menschen
ihre Meinung sage.

Was einer fühle
oder was er sei:
Man ist das Zünglein
selten an der Wage.

Um manchen Ablaß
gibt es viel Geschrei!
Das ändert wenig
an der schiefen Lage.

Des Daseins Wesen,
das ist allerlei.
Bei mancher Antwort
schreitet man zur Klage.

Man sucht die Zukunft –
und sie ist im Ei.
An welchem Brötchen
auch ein Mäuslein nage.

Nun schließt sich endlich
diese Litanei
ganz unpolitisch
das ist keine Frage.

Kein Morgenrot

Ich male gern:
Den Berg, den Stern.
Was Mode ist
hat seine List.

Probleme sind
für Greis und Kind
nicht immer gleich
ein leichter Streich.

Man tut sich schwer
oft auf dem Meer
der Wirklichkeit:
Die Woge schreit,

die Ferne brüllt;
und es enthüllt
der kalte Tod
kein Morgenrot.

Erdkugel

Sie dreht sich immer
weiter aus dem Westen.
Doch hat sie nimmer
unser Witz zum Besten.

Erfahrung lehrt uns
Wechsel, Wandel, Ende!
Der Tag beschert uns
manche Zeitenwende.

Sie kugelt munter
weiter durch die Sphären
als ob wir drunter
nicht zu zählen wären.

Das kann uns wehtun
oder auch gefallen!
Stets lief ein Umtun
in der Dinge Hallen.

So wird die Einheit
wieder aufgenommen
der alten Dreiheit:
Wissen, Sein und Kommen.

Ja und Nein

Hänschen durch die Stauden lief.
Oben stand die Sonne schief.

Abends ging der Mond vorbei
wie ein Fuchs in Raserei.

Hänschen sah durch Tag und Nacht
sich zum ganzen Mann gemacht.

Wo er ging und wo er stand
atmete das Vaterland.

Ja und Nein, so ging das fort;
immerdar das gleiche Wort.

Was nicht oben leuchtend stand
unten sich im Schatten wand.

Hänschen war ein Philosoph,
aber ohne Thron und Hof.

Fühlte sich oft so allein ...
wie ein Mütterchen im Stein.

Daß ihn eine Seele trieb
aber noch sein Wunder blieb.

Ohne Seele war man wer
denn im blauen Ungefähr?

Kein Minister, Edelmann;
Künstler nicht, nicht Scharlatan.

Von der Ungunst prophezeit
nur ein Kind der Bitterkeit.

Und das lohnte sich fürwahr.
nimmermehr durch Tag und Jahr.

Ezra Pound

Er hat die Bücher
seiner Zeit geschrieben,
doch – sind es Bücher
für ihn selbst geblieben.

Was Schüler waren
wurden fremde Rüben,
denn – bei den Haaren
mocht man ihn betrüben.

Geh in die Menge
nicht mit Duces Flausen!
Kurz ist die Enge,
Wüsten gibt es draußen.

Hält ein Gedanke
einen erst gefangen
dräut von der Flanke
her die Brut der Schlangen.

Willst Vögel züchten!
Werden sie auch fliegen?
Aus den Gerüchten
läßt sich alles biegen.

Nur nicht den Kummer
bannt man mit Gedichten.
Mußt dir den Schlummer
für die Nacht verpflichten.

Nähe des Buches

Es ist ein Buch, ich fühle seinen Wind –
und weiß daß Bücher doch Scharteken sind.

Wie kommt das; und was hängt an seinem Hauch?
Ein Dichter schrieb es, Poesie ist's auch.

Komm mir nur nie mit einem schlimmen Hund!
Die Sprache hält den Augenblick gesund.

Die Stimme macht so manchen Dichter krank –
und aus des Nebels Dampfboot steigt Gestank.

So denke ich es wäre nun erklärt
wie Löwe, Adler sich und Hirsch vermehrt.

Die Wahrheit pflegt ein liebliches Getier ...
steht nicht die schwarze Eule hinter ihr.

Doppelter Esel

Viermal ein
riesengroßer Esel;
und einmal vier
riesengroße Esel ...
sind sieben
riesengroße Esel:

Denn einmal ein
riesengroßer Esel
war zweimal der
riesengroße Esel.

Die Kochmaschine

Nimm unverzagt
mit klarem Kopf
zehn Kilo Mehl;
fünf Kilo Salz
und etwas Zucker;
preß drei Zitronen
tapfer drein!

Kein Frauenhaar
ist dazu nötig!
Kein Kehrwisch nicht
aus Pferdeschweif!
Kein Bauernofen
voller Risse.
Doch feine Nase!

Was dir jetzt so
im Kübel liegt,
das mische gut –
nicht Pickel oder
Schaufel braucht es ...
Bist Pensionär!
Was soll der Haken?

Nur einen Rührer
recht elastisch –
und frisches Wasser
aus dem Brunnen.
In dem wohl keine
tote Ziege
gelegen seit

Picassos Tagen!
Schneid dreißig rote
Zwiebeln drein
Vergiß nicht eine
Schale Pfeffer
zum Traum vom Unkraut
aller Unkunst.

Ist so das Unikum bereit
daß alles eine
Masse ist
schütt es in sachlich
nette Formen –
ein Wunderkind
der Politik –

und laß es ziehen,
braten, schmoren,
aufsieden, rösten
im sauber ausgeputzen Rohr.
Geheimnisvoll dann eine Weile
Herdinnenleben
walte süß.

Wenn es erst gar ist,
das Gebäck
wird es ein gutes
Fressen geben:
Dem Zeitgeist von
der Zeit erfunden!
Den Namen für

den Wahn gerührt.
Dann „Guten Hunger!"
allerseits.
Despoten, Epigonen, Lumpen;
sie mögen sich den Magen füllen
wie's Ihre Herrlichkeit
von Tisch zu Tisch verdient.

Gepriesen sei
die Kochmaschine!
Dann als das größte Erdenwunder
verherrlicht von Historikern!
So geht die Rede, raunt die Sage
vom Ende aller
Bombenkriege.

Mittelmaß

Die Welt der Steine,
Gräser, Blumen, Blüten
hat meine Sehnsucht
öfter angezogen.

Da lagen Flaschen,
Scherben, Fetzen, Düten –
und mein Gewissen
hat mich nicht betrogen:

Den Leuten paßt es
auf die Welt zu kommen
und mit dem Sperber
um die Gans zu streiten!

Sie wollen alle
ihre Braut bekommen
wie in verrückten
so in weisen Zeiten.

Und lassen keinen
an die Schwelle treten
des unverfälschten
Gipfels der Beglückung ...

der sich im Reinen
wollte gläubig beten.
So wird der Alltag
manchem zur Bedrückung.

Evolution

Europa hat sich
seinen Sumpf gezogen.
Die Kontinente
ziehen sich zurück.

Mir ist der Teufel
wenig nur gewogen;
von keinem Kärrner
hätte ich mein Glück.

Drum bin ich selber
auf mich selbst gekommen;
und pfeife fürder
auf Gebot und Pflicht.

Die Meute hat mir
nicht die Haut genommen!
Lichtebene trägt mich
durch die trübe Sicht.

Die Träume wollen
mir ins Rasen steigen:
die Horizonte
lassend hinter sich.

Jedoch die Geister
der Erfüllung schweigen!
Die Harmonien
kreisen innerlich.

Ende dem Chaos

Willst du an Flügeln
mit dem Winde gehen;
die Schatten prügeln
und die Nebel schmäh'n?

Mach dich zum Narren
nicht von Wahn und Staub!
Dem Wandel harren
mußt du – nicht dem Raub.

Und für die Spuren
der Vollendung sein
auf bunten Fluren –
wider Sturm und Schein.

Für viele Schiffe
zahlt der Tod den Kauf ...
Am Nebelriffe
geht die Sonne auf.

Kosmos

Alles ist aus
einem Schatten
nur entstanden, der verging.
Wie der Anfang
so der Fortschritt;
wie das Ende so das Ding.

Nächtigen
die Eingeweide
dir auch oft zu dunkler Qual:
Aus dem Willen
wächst die Freude
langsam in das hohe Tal.

Menschenblume
der Geschichte:
Steige in den Sommer ein!
Zukunft wird bei deinem Lichte
Dauer in der Treue sein.

Kommt die Stärke
zum Gelingen
schleichen sich die Nebel fort.
Was den hohen
Träumen klingen
wird im tiefen Tal zum Wort.

Fabelei

„Ich habe meine Freude
an alten Hennen;
und nicht an jungen Rühreiern!"
sagte der Fuchs –
und biß der Schlange den Kopf ab.

                    Melancholische Platte

                Die Glocke hoch
                vom Turme schlägt.
                Der Mond den
                schwarzen Raben trägt.

                Ein Kater schnurrt
                am Brunnenrohr.
                Die Nacht steht mild
                im Sommerflor.

                Mein Herz ist wild
                von Leid bewegt ...
                Das Schicksal an
                die Pforte schlägt.

                Sei nur nicht schüchtern!
                Sei nicht faul!
                Der Sensenmann
                jagt seinen Gaul.

                Wenn du nur frei
                und tätig bist –
                Fortuna dir
                zur Seite ist.

                Gesegnet oder
                auch verdammt:
                Die Dauer bleibt
                ins Nichts gerammt.

Exemplar

Der Hange hing,
die Hinge hang!
Potzteufel, schlimm
ist der Gesang.

Geh Rede
oder Ärger hin:
Wo du nicht Du bist
hinkt der Sinn.

„Wie, bitte" fragt
der Journalist:
„Was ist da Kuh –
und was der Mist?"

Wo Dutzende
das Rechte tun
dort bricht den Hals
sich selbst das Huhn.

Bei Wolf und Rind

Wer sagt dir ein
was du nicht weißt?
Trug ist der Schein –
und Sein der Geist.

Wie weit die Phan-
tasie dich zieht:
Du seist der Mann,
der nimmer flieht.

Nicht vor der Nacht,
nicht vor dem Tod!
Vor Mitternacht und Seelennot

nicht ... was der Brei
im Wirbelwind
der Stunde sei bei Wolf und Rind.

Dämonischer Fluss

Ob das Verderben
oder die Vernichtung;
ob die Tyrannis
oder Diktatur:

Was liegt am Ufer
wenn die Sonne schläft
und sich der Regen
in die Wellen kreist?

Bin ich ein Träumer?
Oder ist's der Weltgeist,
der mit dem Leben
seine Spiele treibt?

Was sollen Fragen?
Antwort von der Stunde
will ich zum Heile –
aber nicht ... fürs Grab.

Auch ein Schluß

Von den Lügen
kommt der Tod!
Wahrheit soll
die Welt regieren;
Schwäche Kopf und
Herz verlieren:
Alles kann der
Schluß der Not.

Freiheit und
Genuß ins Lot!
Was sich einfügt
das wird bleiben;
Wurzeln, Stamm und
Äste treiben:
Sonne in die
Sterne loht.

Über Würmer,
Staub und Kot
muß sich das
Gefühl verjüngen;
Sehnsucht muß wie
Saite klingen ...
eh der letzte Blitz verloht.

Hirngespinste
sind kein Brot.
Staaten lügen
für Nationen;
Lumpen sind ein
Fraß für Drohnen.
Pfeffer spuckt ins
Pack der Gott.

Briefe und verstreute Texte

An Herrn Walter Hofmann, Verlag für moderne Literatur,
Braunschweig, hinter Aegydien 2-3, Deutschland

Herr Walter Hofmann!
Wiederholt zurückkommend auf Ihr Schreiben vom 5.8.1930 ersuche ich Sie mir doch mitzuteilen w a r u m Sie mir die für den eingesandten Betrag von 4,50, eigentlich 4,25 Mk. zu Recht gehörenden 12 Romane bis heute noch nicht haben zukommen lassen; auch die Rücksendung der betreffenden zwei maschinellen Manuskripte an mich hat bis auf den heutigen Tag auf sich warten lassen. Und es stimmt mich dieser Müssiggang Ihrerseits alles eher denn e r f r e u l i c h !
Weil Sie aber den Anspruch auf einen Verlag für moderne Literatur erheben wollen, so ergreife ich diese letzte Gelegenheit Ihnen weiterhin einige Gedichte, obwohl unverlangt und daher sozusagen abweisungsbedürftig, in dieser Mappe zu senden! Weil ich jüngst in einer Zeitung las, dass Verleger s p i e l e n leichter sei als Verleger s e i n, so glaube ich wohl bei Ihnen die letzte Veranlagung voraussetzen zu können, obwohl ich als fleissiger Dichter auf Erden noch keinen Verleger getroffen habe, der für sich den Titel eines Ehrenmannes hätte beanspruchen können.
Auch ich erhebe den Anspruch auf den Titel eines modernen Dichters, und werde mich zu behaupten wissen wenn meine Gegner schon längst hundert andere Stile und Stilchen wieder durchgemacht haben werden; darum möchte ich förmlich auf Sie dringen mir doch Recht widerfahren zu lassen, und mir Romane, alte Manuskripte zurückzusenden; und mir ferner auch die beiliegenden Gedichte entweder ehrlich zu behandeln, oder Sie mir mit den anderen Stücken zurückzuschicken.
Mit vorzüglicher Hochachtung
Franz J. Noflaner, St. Ulrich, Gröden, Italien [um 1930, nicht datiert]

An Herrn Kurt Neven DuMont,
Schauberg, Köln, Breite Straße 62 – 64, Deutschland

Ihr Brief als Antwort auf meine Anfrage um den Posten eines Feuilleton-Redakteurs bei der „Kölnischen Zeitung" brachte mir als Ablehnung eine aalglatte Entschuldigung, die es keineswegs verdient ernst genommen zu werden! Darum bin ich gar nicht gewillt Sie um die Erlaubnis zu bitten Ihnen die volle Wahrheit als eigentliche Meinung zu sagen. Freilich haben Sie Glück gehabt Ihre Verneinung nicht näher zu begründen, bei dem Eingang der vielen Bewerbungen, wie Sie anführten – denn ich kann richtig behaupten dass Ihre Vernunft den Boden zur Begründung einer Tatsache überhaupt nicht gefunden hat. Sie baten nämlich ferner Ihr Vorgehen nicht als ein Gegenteil von Höflichkeit hinnehmen zu wollen, welches Entgegenkommen zu gewähren ich Ihnen absolut nicht verpflichtet bin. Aber Sie werden dessen ungeachtet die 125 – Mark pro Tag, soviel haben Sie ja wahrscheinlich für die Anzeige in der „Literarischen Welt" auch bezahlt, einem anderen Journalisten geben, der es weiterhin mit aller bayerischen Gemütlichkeit auf sich nimmt die gegenwärtig im Reiche noch hauptsächlich gang und gäbe herrschende Richtung des Niederganges zu verfolgen, ohne sich über die Folgen solchen Leichtsinns genauere Rechenschaft zu geben. Wissen Sie aber auch, was Ihre Antwort und ähnliche Bescheide von Verlegern und Zeitungen mir zu denken gaben? Folgenden Sinn: „Erschiessen Sie sich; die kritische Verantwortung auf Ihren Selbstmord bin ich bereit vor Gericht auf mich zu nehmen! Denn ich halte mich der Beachtung auch seitens höchster Zunge wert." So denkt allen Anmassungen nach Ihresgleichen von mir.
Franz Jos. Noflaner, Ortisei, Oberetsch, Italien [um 1930, nicht datiert]

An das „Neue Reich",
Wien I, Weihburggasse 9/4, Österreich

Im Besitze des Manuskriptes „Der Student" und Ihrer Antwort auf dieses Stück Prosa stelle ich diese nackte Tatsache fest; denn die Verweigerung meiner Richtung bei Ihnen ist nun offenbar. Voriges Jahr schrieb ich ja auch so etwas wie einen Artikel über „Im Westen nichts Neues", auf den Sie in Ihrer wöchentlichen Schrift zurückzukommen

versprachen: Aber jenes Versprechen wurde Ihrerseits anscheinend wie die Treue selbst vergessen. Ich danke Ihnen wohl dafür, dass ich Ihre Zeitschrift botmässig bis dato billiger hatte; aber zum Zeichen, dass ich nicht bis zu meinem Tode gewillt sein kann, alles zu entschuldigen, um dann für eine regelreche Verzeihung keine Zeit und Aussicht mehr zu haben – bestelle ich das „Neue Reich" mit heutigem Datum 25.4.1931 ab, denn mein Wille hat seinen Ursprung im Satze: Danken und handeln! Also habe ich Ihnen nach Schuldigkeit wohl gedankt, und glaube nun nach meiner Pflicht handeln zu dürfen.
Franz Jos. Noflaner, Schriftsteller, Ortisei, Oberetsch, Italien

An den Herausgeber der „Literarischen Welt" W. H.,
Berlin, 50 Passauerstraße 34, Deutschland

Herr Willy Haas!
Auf einem frühen Verlangen Ihrerseits habe ich Ihnen eine engbeschriebene Seite Gedichte zukommen lassen in der Hoffnung, dass Sie oder die Gedichte von sich hören lassen werden; aber die Gedichte sind meiner Erfahrung gemäss nirgends in die schwärzende Presse geraten. Und auch Sie, Herr Haas, haben getan als wäre Ihre Forderung niemals an mich geraten, als hätte ferner ich selber Ihre Persönlichkeit eines Verses meiner Feder nicht wert und würdig gehalten! Aber diese Niedertracht lag mir wohl immer ferne. Ich bitte Sie darum mir doch mitteilen zu wollen warum aus meinen Strophen keine literarisch geschichtliche Erscheinung geworden ist? Tun Sie das! Ihr letztes Werk „Gestalten der Zeit" ist mir nicht bekannt vom Buche selber her; aber eine Kritik, aus der jeden zweiten Monat erscheinenden Schrift „Buch und Leben", über Ihr Werk bin ich in der Lage beizulegen; und ich tue dies, weil Ihnen dies in Nürnberg herauskommende Heftchen für Literatur Kunst und Kultur nicht bekannt sein dürfte. Bekomme ich also Bescheid über meine Lieder, und erlauben Sie mir eine Abhandlung über irgend ein Thema für die „Literarische Welt" zu verfassen, damit auch ich zu einem Plätzchen im deutschen Haine der Musen und Göttersöhne komme? Ja oder nein? Zum Schluss den gebräuchlichen Gruss.
Franz Jos. Noflaner, Schriftsteller, Ortisei Gardena, Italien [um 1930, nicht datiert]

Liebesbrief für einen Lumpen

Meine Liebste!
Du bist sehr gekränkt, dass ich dir scheinbar untreu geworden bin; aber das ist eine lügnerische Erfindung. Denn du machst mir Vorwürfe, die bei Gott, nicht hierhergehören; denn ich nehme diese, deine Zweifel nicht an. Und, dass ich dich noch gern habe, das weiss der Himmel selber: Wegen deinem netten Sprichworte teile ich dir mit, dass es von der Liebe ferner heisst: „Krone des Lebens, Glück ohne Ruh, Liebe, bist du!" Von der Heirath wären aber momentan nicht die wohlwollendsten Aussichten vorhanden, denn ich kann nicht Wunder wirken, wie es ein liebendes Mädchen haben will. Das wisse, denn ich bin nicht wenig beleidigt, weil du mir nicht den Verleumder des Namens meiner Person mitteiltest. Eröffnest du mir aber dieses schlimme Geheimnis, so wird alles Sein zwischen dir und mir wieder gut werden, denn du bist doch das wunderbare Bild meiner Träume in Liebe und Sehnsucht. So schliesse ich dieses, den Zustand zwischen dir und mir aufklärende Briefchen mit herzlichen Grüssen und Küssen als hoffender Freund
Adresse des Lumpen [undatiert und ohne weitere Angaben]

An den Georg Müller Verlag, München

Sehr geehrter Herr Verleger!
Falls Sie die beiliegenden Manuskripte nicht in Druck bringen wollen, ist es Ihnen auch nicht erlaubt diesen Brief zu behalten, weil ich ihn dann anderweitig wieder verwenden will, und weil mir ferner sehr wenig daran gelegen ist in Verlagen, die von mir nichts wissen wollen, einen Brief meines Ursprunges liegen zu wissen. Dies im Vorhinein! Sehen Sie sich darum nun die Ihnen zur Einsicht unterbreiteten Dingerchen an, und fällen Sie dann kein Urteil über mich, das dem Sausen der Guillotine gleichkommt, mit der man dem Herrn Kürten den Garaus gemacht hat. Sie werden nun verstehen was ich meine: Sie sollen nicht wie alle anderen deutschen Verleger so herzlos mit mir umspringen als wäre ich ein Neger aus dem Gebiete des Kongo, der nicht weiss was Wasser und was Leim ist. Mit diesen Worten soll ferner gesagt sein, dass Sie nicht fürchten müssen mir auf den Leim zu gehen, und nicht zu vermuten brauchen, dass ich einen anderen deutschen Dichter in das Wasser der Isar werfen will – sollte es mir auch

bei Ihnen nicht gelingen jene Gunst vorzufinden, die aus den kühlen geschäftsmässigen Interessen aufsteigt, die mit einem voll bespickten Geldbeutel den Besitzer gemein haben.

Es ist sehr einfach mir immer wieder die eingesandten Sachen zurückzuschicken; es ist aber unmöglich mich immer zu unterdrücken, mag es bis dato auch immer wieder der traurige Fall gewesen sein! Dass Sie aber doch belieben werden zu tun wie Sie wollen, das weiss ich; und daher kann ich Ihnen nur diesen Brief mit einem höflichen Gruße schliessen als der Schriftsteller

Franz Jos. Noflaner, Ortisei, Gardena, Italien am 18.7.1931

An Fr. Greta Garbo, Schauspielerin,
Metro-Goldwyn-Mayer-Studios, Culver-City, Kalifornien, U.S.A.

Sehr geehrtes Fräulein!
„Filmwelt Berlin" brachte letzthin in Nr. 38 & 41 je ein Bild von Ihnen, und ich muss sagen, dass Sie mir fast zu schön sind. Entschuldigen Sie daher, dass ich Ihnen schreibe, als würde ich Sie schon Jahre von Haus aus kennen, denn als Dichter halte ich es für keine Todsünde gelegentlich einer Schönheit meine Bewunderung auszudrücken. Andere Streber belästigen Sie mit den Bitten um Autogramme, ich bin ein bisschen bescheidener, und wünsche nur, dass von Ihnen bald wieder ein Bild des Films irgendwo zu sehen sein wird, damit wieder eine Abwechslung ins Leben kommt und wirkt. So wünsche ich Ihnen zu Mata Hari nur glückliche Inspiration, dass Ihre Arbeit ein Erfolg sein wird. Denn es gibt soviele langweilige Filme!
Mit vieler Verehrung
Franz Jos. Noflaner, Dichter, Ortisei, Gardena, Italien am 18.10.1931

An geehrte Universum-Film-Aktiengesellschaft – Ufa,
Berlin SW 68, Kochstraße 6-8, (Schliessfach 7), Deutschland

Im Besitze des scherlschen Schreibens vom 26. d.M. [1932], welche Erklärung ich nur als Folge meiner Nachfrage aus jüngster Zeit an Ihre werte Adresse gerichtet auffassen kann, danke ich Ihnen zuerst für die günstige Aufmerksamkeit, welche Sie, werte Firma, meiner Wenigkeit teilwerden zu lassen geruhten, indem Sie mir vielleicht Schritte haben unternehmen müssen, die Ihnen unangenehme Mühe gekostet haben um mich wieder, zu den leider abgewiesenen Exposes, die noch kein Rückporto für sich hatten, gelangen zu lassen.
Jedoch bin ich damit noch nicht zufrieden! Es wird Ihrer geachteten Jury gewiss nicht entgangen sein, dass ich noch einen fünften Versuch, freilich ohne Kennwort, an die Abteilung „Woche" sozusagen als letzte Probe geschickt habe. Dieses Manuskript hat sich aber zu meinem Leidwesen in der Hülle, die ich heute empfing nicht wiedergefunden, und so muss ich nur so frei sein zu fragen, ob ich nicht auch dieses Stück wieder heimbekommen könnte, da sicherlich auch dieser meiner Idee ein Fiasco beschieden worden ist. Ferner bitte ich Sie nichts lieber und dringender als um die Gewogenheit, mir doch jene wichtige Nummer 11 der „Woche" vom 12. März in Hand geraten zu lassen, da mich die Neugier sticht zu sehen, welche unbekannten Grössen sich so wacker und tapfer gehalten haben der berüchtigten Jury zu imponieren.
In der Hoffnung Ihnen alle meine Sorgen und kleinlichen Fragwürdigkeiten verständlich gemacht zu haben, verbleibe ich mit schönem Grusse meiner Frau
Franz Jos. Noflaner, Schriftsteller, Ortisei, Bolzano, Italien [um 1932, nicht datiert]

Fliegende Teller in der Statik

Frage an die Weltöffentlichkeit: „Wer mit Blut tötet fällt durch das Schwert. Das Schwert ist die letzte Ordnung aller Dinge!" Weiß jemand von einer Landung Fliegender Teller außerhalb Südtirol, nach dem 14. August 1954, 10'45 Uhr Näheres zu berichten?
Diesbezügliche Angaben von Privatpersonen und öffentlichen Mächten sind bis spätestens 30. Oktober 1956 an die Schriftleitung der DOLOMITEN, Museumsstrasse 42, Bozen, Südtirol zu senden.

Fliegende Teller in der Ekliptik

Frage an die Weltöffentlichkeit: Südtirol verfügt, zum Beweise seiner Zugehörigkeit zu Nordtirol beziehungsweise zu Österreich über zehn Unterschriften Sir Winston Churchills aus dem Jahre 1950, zehn Unterschriften des Genossen Stalin aus dem Jahre 1955 und zehn Unterschriften von Mr. Franklin Roosevelt aus dem Jahre 1960.
Soll Südtirol diese Unterschriften der Weltöffentlichkeit zeigen?
Diesbezügliche Antworten von Privatpersonen und öffentlichen Mächten sind bis spätestens 14. Oktober 1956 an die Schriftleitung der DOLOMITEN, Museumstrasse 42, Bozen, Südtirol zu richten.

Über die Fliegenden Teller

Der Vollalarm gegen die Fliegenden Teller in schwerster Form wurde im Jahre 1910 gegeben. Geschlagen wurden die Fliegenden Teller im Februar 1958, als bei einer Geschwindigkeit von 10 Millionen Stundenkilometern in der Materie, die Entmaterialisierung bei einer Geschwindigkeit von 330.000 Kilometern in der Sekunde erreicht wurde. Entwarnung 1960.

Im Kriegsjahr 1942 adressiert Franz Josef Noflaner mehrfach Postkarten an sich selbst. Die Transkription der ausgewählten Texte folgt dem Wortlaut der handschriftlichen Botschaften mit Briefmarke und Poststempel.

All Signor Francesco Noflaner
presso Philippo / Ortisei – Prov. Bolzano
Am 13.VII.1942
Bester Gefährte!
Ich kam lange nicht mehr für Dich zum Wort. Man hat immer soviel zu tun. Die Menschen lassen einem keine Ruhe und die Zeiten sind miserabel. Ein stummes Geleise ist es, auf dem man sich vorwärts bewegt. Dagegen lässt sich nun einmal nicht viel anfangen. Es gilt mit den Dingen Geduld zu haben.
Mit Gruß, dein Bekannter F. J. N.

All Signor Francesco Noflaner
Pescosta N° 1 / Ortisei
Am 23.7.1942
Lieber Bruder!
Ich bin draufgekommen, daß man sich die Langeweile nicht über den Hals kriechen lassen darf und daß es ferner nicht ratsam ist sich mit den verschiedensten mir unbekannten Leuten zuviel einzulassen. Man kennt übrigens die Menschen ein Graus und die meisten sind unausstehliche Rechthaber, Kinder eines unduldsamen Zeitgeistes! Herdenwesen einer verworrenen Welt und allzusehr auf den eigenen philiströsen Standpunkt bedacht. Entschuldige daher meine heilige unumwundene Wahrheitsliebe. Laß wieder einmal was hören. Dich grüßt dein F. J. N.

All Signor Francesco Noflaner
presso Philippo / Ortisei – Gardena
6.8.1942, Sankt Christina
Bester Freund.
Bin wiederum zuhause; und
sehr aufgeregt. Die Dinge liegen
nicht alle wie sie sein sollten.
Bald hat man sein Schlamassel
und bald seine Zweifel. Wie du
siehst übe ich mich im Briefe schreiben und zwar an dich. Der
Mensch ist in gewissen Stücken
doch ein armseliges Lebewesen.
Was er nicht kann, das will
er und was er nicht will, das
muss er. Man könnte von
dieser Erkenntnis graue
Haare kriegen. Mit Schwung
dein: F. J. N.

All Signor Francesco Noflaner
presso Filippo / Ortisei Gardena
Peskosta, den 20.8.1942
Lieber Freund.
Man übt sich in mancherlei Dingen
und Stücken. Die Welt ist groß und
schwach des Menschen Wille. Man
lebt seinen vergänglichen und kurz-
lebigen Roman dahin, bleibt sich
teilweise eingedenk, daß man ein
Deutscher und hierzulande mithin
ein Kämpfer ist. Sicher aber wird
es, wahrscheinlich 1943, auf die große
Reise gehen. Was will man machen.
Gesetz ist Gesetz und Geschichte heißt
nach wie vor Geschichte, da gibt es
kein Beiseitestehen. Man muß den
Kopf zwischen die Schultern nehmen
und dahin marschieren. Wohin?
So dein Bekannter F. J. N.

All Signor Francesco Noflaner
presso Filippo / Ortisei – Gardena
Peskosta, den 1.9.1942
Lieber Geselle!
Nach schweren Tagen der Verwirrung und Qual gehöre ich wieder dem gesunden Leben an. Es ist mir zwar nicht leicht geworden aus der gefährlichen Umklammerung herauszukommen; aber nun bin ich die reißende Niere wieder, Gott sei Dank, los geworden und schaffend und tätig wieder der alte Mensch, der sich keine tödlichen Prügel zwischen die Beine werfen läßt. So wird man wohl mit sich zufrieden sein, bis man es nicht mit anderen ist. Ich werde es versuchen auf den gewünschten Standpunkt zu gelangen. Heil und Sieg! Dein F. J. N.

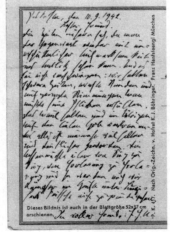

All Signor Francesco Noflaner
presso Filippo / Ortisei – Gardena
Peskosta, den 10.9.1942
Bester Freund.
Die Zeiten nähern sich, da man der Gegenwart wieder mit unerschütterlicher Aufmerksamkeit ins Antlitz sehen kann. Und es sei nicht verschwiegen: wir hatten schwere Zeiten, ernste Stunden und aufgeregte Stimmungen. Man mußte seine Pflichten erfüllen, das Maul halten und im übrigen auf den lieben Gott vertrauen. Das alles ist nunmehr viel heller und deutlicher geworden. Die Achsenmächte eilen von Sieg zu Sieg, von Eroberung zu Eroberung und so werden auch wir Kämpfer im Geiste unter Lucifers Peitsche nicht zugrunde gehen. In voller Freude: F. J. N.

All Signor Francesco Noflaner
Ortisei Gardena
Sankt Christina, den 8.XI.1942
Treue Seele!
Um Vorsicht und Nachsicht wirbeln die Schatten der Tage, der kann man Opfer oder Sieger werden: wie es die Götter wollen und das Schicksal besiegelt. Da gelten keine Auswege, keine Ausreden, keine Ausflüchte, keine Ausnahmen und keine Auswirkungen. Wem die Würfel gelten, denen fallen sie. Das ist ein Naturgesetz, das keine Hintergründe und keine Absichten duldet, keine Liebe und keine Nachsicht kennt. Gewiß, alles ist eitel, aber nicht für den Schuldigen; den trifft der Fluch der Strafe. Das muß man sich in sein Notizbuch schreiben; denn der Wert unseres Wissens beruht in erster Linie auf der Stärke unseres Glaubens. Und zu Aufstieg oder Fall führt uns die Notwendigkeit. F. J. N.

All Signor Francesco Noflaner
Ortisei Gardena
Sankt Christina, den 8.XI.1942
Treue Seele!
Ein Lebenszeichen, von mir, für dich, das wollte ich dir schicken; mein Wort soll dich beschützen und mein Gedanke holen in ein perfektes Leben. Sehr poetisch, nicht wahr? Klar, so ist der Mensch: er sähe es all zu gern mit den Geistern seines Faches – und so bin ich halt auch derselbe, wie alle anderen. Man muß auf den Kern der Wahrheit kommen, wenn man sie besitzen will. Denn die prosaische Welt ist ja keine leuchtende Kugel, auf die man sich in jeder Finsternis verlassen kann. Es gibt gute und schlechte Tage, widerliche und angenehme Menschen. Diese Erfahrung wird ein Jeder machen können. Wirke, wirke! dein ausdauernder und zäher   F. J. N.

Anhang

Kurzbiografie

Franz Josef Noflaner wird 1904 als drittes von sechs Kindern in St. Ulrich in Gröden geboren. Nach einer Bildhauerlehre arbeitet er zeitlebens als Restaurator und Gelegenheitsarbeiter. Neben dem intensiven Selbststudium der Literatur entstehen ab den späten 1920er-Jahren erste eigene Texte und bis um 1983 ein umfangreiches literarisches Werk aus Gedichten, Prosa, Dramenentwürfen, Essays.
In seinem Privatleben verzichtet Noflaner darauf, eine eigene Familie zu gründen. Obwohl das Thema Frau als ein zentrales literarisches Motiv abgehandelt wird, ist von Liebschaften oder Verbindungen mit Frauen nichts überliefert. Seine Bemühungen um Aufnahme in das Programm deutscher Verlage bleiben erfolglos. Zwischen 1956 und 1960 erscheinen im Selbstverlag vier Bände mit Gedichten und Kurzprosa.
In den 1960er-Jahren eignet sich Noflaner als Autodidakt die Technik der Malerei und Zeichnung an. Bis Mitte der 1980er-Jahre entsteht ein malerisches und zeichnerisches Werk mit zahlreichen inhaltlichen und künstlerischen Berührungspunkten zu seiner Poesie.
Noflaner ist 1989 in Brixen gestorben.
Siehe die ausführliche Chronik zu Leben und Werk in Band II.

Der Nachlass

Im Jahr 1961, nach drei Jahrzehnten frenetischer schriftstellerischer Arbeit, stellt Franz Josef Noflaner das folgende reimlose Poem an den Anfang seiner aktuellen Anthologie *Sinnbilder des Guten*: „Mein Entschluß ist, alle irgendwie / vorhandenen Manuskripte / druckfertig zu machen ... / und ich darf mich vom Geschrei / der Zeitgenossen nicht aufhalten / und verwirren lassen ... / die Toten, sie haben / ihr Bestes gegeben ... / der Lebende eifere ihnen nach."
Zu diesem Zeitpunkt war das Resultat aus seinem Lebensauftrag zu einem Repertoire angewachsen, an dem sich die mangelnde Eignung für eine zeitgemäße literarische Sensation bereits abzeichnete. In den Jahren zuvor hatte Noflaner bei Athesia in Bozen beziehungsweise im Selbstverlag die einzigen Buchausgaben mit eigenen Texten herausgebracht. In den vier Anthologien nennt sich Franz Josef Noflaner „Autor und Herausgeber" und initiiert 1960 mit *Die gefräßige Straße* ein ambitioniertes Verlagsprogramm für den eigenen Zyklus Verlag in Gröden. Die beigelegte Verlagsvorschau kündigt eine Liste mit weiteren Titeln an. Dabei ist es allerdings – abgesehen von einzelnen Veröffentlichungen in Zeitschriften, zu Lebzeiten und postum – bis heute geblieben.
Unbeirrt von den politischen Zeitumständen der Jahre um 1939 und der Jahrzehnte nach 1945 erwuchs aus der alles Leben verzehrenden Bestimmung das Werk eines Vielschreibers. Am Beginn standen „Erstlingsgedichte" und Tagebuchaufzeichnungen, Romanentwürfe und Essays, denen Noflaner von Anfang an die Mission zuschrieb, ihn auch beruflich als Schriftsteller zu etablieren. Überzeugt von der an eine literarische Öffentlichkeit gerichteten Sendung und der ausgebliebenen Anerkennung zum Trotz erweitert Noflaner ab den späten 1960er-Jahren seine existenzielle Selbstbehauptung auf das Medium der Malerei und Zeichnung. Das Ergebnis ist ein künstlerisches Gesamtwerk, das nach seinem Tod zunächst als ungeteilter Nachlass verfügbar war, der später unter den Familien seiner Geschwister aufgeteilt wurde. Diesem ist der Band II dieser Edition gewidmet.

Noch viel deutlicher aber offenbart sich die Diskrepanz zwischen der aufgebrachten Anstrengung und der ausgebliebenen Rezeption am literarischen Nachlass. Er umfasst ein weitläufiges, zeitlich fünfzig Jahre umfassendes dichterisches Werk in unterschiedlichen Spielformen, daneben Romane und Kurzprosa, Dramenfragmente, immer wieder eigenartige Paarungen aus Lyrik und Epik, Essays unter dem Titel *Rund um den Feuilleton* und aus den letzten Arbeitsjahren Langgedichte. Mehrfach sind die druckfertig zusammengestellten und paginierten Typoskripte mit Illustrationen und Vignetten aus der Hand von Franz Josef Noflaner ausgestattet. Nur formal und der überschaubaren Anzahl nach heben sich die *Briefe* aus den Jahren 1931 und 1932 ab, zumeist sind es an Personen adressierte Schreiben oder sarkastische Antworten auf Absagen von Verlagen, die im Nachlass nicht erhalten sind.

Der Schreibtechnik nach verfasst Noflaner die handschriftlichen Aufzeichnungen in gestochener Kurrentschrift, die gelegentlich Spuren einer sich durch das Selbststudium der Stenografie angeeigneten Routine trägt. Ab etwa 1930 verfügt Noflaner über im Lauf der Jahre wechselnde Schreibmaschinen, dabei werden von zweifarbigen Farbbändern zuerst der schwarze und anschließend der rote Teil aufgebraucht. Aus den Jahren 1958 bis 1967 liegen für die Herausgabe im Zyklus Verlag 24 druckreife Typoskripte vor, allesamt sorgfältig redigiert, paginiert, mit einem Inhaltsverzeichnis versehen und signiert. Nach der in der Folge eingetretenen Ernüchterung kommen diese Pläne allerdings definitiv zum Erliegen.

Im Jahr 2004, fünfzehn Jahre nach dem Tod von Franz Josef Noflaner, wurde der gesamte schriftstellerische Nachlass an die Dokumentationsstelle für neuere Südtiroler Literatur im Südtiroler Künstlerbund in Bozen übergeben, insgesamt etwa 350 Materialien in unterschiedlichen Papierformaten und Konvoluten, aufgestellt in sechs Regalfächern mit insgesamt mehr als fünf Laufmetern. Im Detail handelt es sich um gesammelte Hefte und Schriften, handschriftliche Tagebücher, zahllose Manuskripte und druckfertige Typoskripte, chronologisch geordnet und teilweise in Buchform gebunden; außerdem in Kartonflügelmappen gesammelte Schriften, Faszikel und Blätter fein säuberlich zwischen Kartondeckel geschnürt, datiert und signiert. Das alles wartet auf eine fachliche Bestandsaufnahme und Katalogisierung.

Zur Edition

Bei den für diesen Band ausgewählten Materialien handelt es sich um insgesamt unveröffentlichte Texte aus dem Nachlassbestand von Franz Josef Noflaner. Grundlage ist eine selektive und kritische Auswertung der typografischen Schriften. Aus einer ersten allgemeinen Bestandsaufnahme entstand zuerst ein Verzeichnis von 65 Typoskripten, die inhaltlich geprüft wurden, ob sie für eine Auswahl in Betracht kommen. Daraus wurden 21 Typoskripte ausgewählt und für die definitive Textauswahl herangezogen. Die Zusammenstellung der Texte in der Abteilung *Gedichte und Prosa* wurde nach Gattungen sortiert und in Blöcken weitgehend chronologisch angeordnet. Die *Briefe und verstreuten Texte* sind, obwohl sie früher entstanden sind, nachgestellt. Eine repräsentative Auswahl von Tuschfederzeichnungen begleitet die Texte in dieser Edition.
Mit Hilfe der Auswahlkriterien galt es, angesichts der Materialfülle und der gewiss sehr unterschiedlichen Relevanz eine konzentrierte Version von diesem obsessiven Gesamtwerk herzustellen. Eine Aufgabe dabei: die Triftigkeit der Themen und Fragen zusammen mit dem Repertoire der poetischen und formalen Sprache, der Variation der Textformen und Weltgedanken sichtbar werden lassen. Nicht hoch genug zu werten sind die Interferenzen und Schnittstellen zwischen der Bildsprache in der Malerei und dem Bildhaften in der Dichtung, die zu befragen erst durch ein solches Projekt in Gang gesetzt werden kann. Vielleicht liegt darin überhaupt die Kernfrage in diesem Unternehmen, nämlich in einer Zeit realer sprachlicher und visueller Überflutung auf ihre gemeinsamen Texturen zu schauen, um herauszufinden, warum so oft Worte trennen und Bilder verbinden. Dass sich zudem von einer ganzen Reihe von Texten denkwürdige Linien ziehen lassen zu heute angesagten philosophischen, literarischen, künstlerischen und nicht zuletzt anthropologischen Fragen, ist vielleicht nur eine Bestätigung der Gleichzeitigkeit des Ungleichzeitigen.
Es wäre aber ziemlich einseitig, hier nicht auch die Ausschlusskriterien zu nennen, die nicht selten die Entscheidung erleichtert haben,

weil sie behilflich waren, einen latenten Größenwahn in diesem Werk zu neutralisieren. Punktuelle poetologische Schwächen oder Wiederholungen, inhaltliche Redundanz und Selbstdarstellung, der Abfall in trivial gefärbte Klagen über den dichterischen Alltag legen die Überlegung nahe, besser auf zweifelhafte Früchte zu verzichten und auch nicht nach dem grandiosen Meisterwerk zu fahnden. Das alles rechtfertigt eine selektive Erstausgabe eines Werkes viele Jahrzehnte nach seinem Entstehen, nach der es bisher keine Nachfrage zu geben schien.

Die editorische Textgestalt der getroffenen Auswahl folgt grundsätzlich jener in den Typoskripten und bewahrt alle nicht sinnstörenden Eigenheiten und Besonderheiten. Vor allem gilt das für die formal unterschiedliche Handhabung der Normen in Lyrik und Prosa. Für beide gilt, dass auf eine Angleichung an die Neue Rechtschreibung verzichtet wird, etwa in der Groß-/Klein-Schreibung, in der Zusammen-/Getrennt-Schreibung, in der Schreibung von ß und ss. Vereinheitlicht wurden lediglich abweichende Varianten, beispielsweise bei verschieden gebrauchten Exklamationen wie „O"/„o" beziehungsweise „Oh" und beim Apostroph bei Lauteinsparungen. Zudem wurde in der Lyrik die Interpunktion umfassend gewahrt, während zum besseren Verständnis in den Prosatexten und in den Briefen gelegentliche Ergänzungen nützlich erschienen. Dort blieben auch Hervorhebungen durch gesperrt gesetzte Textstellen erhalten. Eine rücksichtsvolle Anpassung erfuhr die Setzung der äußeren und inneren Anführungszeichen. Bei wenigen Wörtern wie „Taback", „gröhlend", „Pikasso" oder „Eremithen" wurde auf die originäre Schreibweise verzichtet, weil sie sich als assoziativer Stolperstein im Lesefluss erweist. Kaum eine Hürde im Textverständnis dürften die wenigen umgangssprachlichen oder eigenwilligen Wortfindlinge oder Neologismen ausmachen, die Bedeutung von „fitzelt", „Dulderbrück", „Potzteufel", „Vertierung", „Cumberland" oder „ins Übersein" erschließen sich aus dem Zusammenhang. Eine gewisse Nachsicht mag die vom Autor aus poetischen Überlegungen gewählte, gelegentlich etwas sperrige Satzstellung einfordern, verbale Satzklammern oder vorgezogene Satzglieder sind der Preis für Rhythmus und Klang.

Mit diesen Hinweisen auf die insgesamt sehr zurückhaltenden editorischen Eingriffe soll die sprachliche Disziplin hervorgehoben werden, welche der Autor seinen Schriften hat angedeihen lassen.

Nachwort des Herausgebers

Woher kommt die eigenwillige und ganz und gar außerhalb ihrer Zeit stehende Poesie Franz Josef Noflaners, dieses Resultat eines Aufbäumens in Bildern und Sprachklängen gegen die Erschütterungen eines ganzen Jahrhunderts? Was veranlasste einen von Brotberufen Abhängigen – allen Widrigkeiten zum Trotz und über alle autodidaktischen Barrieren und falschen Verheißungen hinweg –, sich zuerst einer Karriere als Dichter und dann einer solchen als Maler zu verschreiben? Die Entstehungsgeschichte dieses Werkes und vor allem die Biografie des Autors liefern provisorische Hinweise, sie lesen sich wie der desperate Versuch einer geistigen Existenzbewältigung.
Als Franz Josef Noflaner mit dem Schreiben anfing, erlebte eine ganze Generation samt ihrer Bildungsschicht eine Zeit babylonischer Verwirrung zwischen dem Deutschtum als Bezugspunkt nördlich des Brenners und der allgemeinen Resignation und Lähmung durch Annexion und Faschismus. Und für die deutschsprachige Jugend im Land war der Faschismus eine Erziehung, damit sie 1939 und 1943, je weniger und je schlechter sie dann Deutsch sprach, bereit war für Hitler. Auch was dann folgte, nach 1945, war eine absolute Notstandssituation, ein Klima geistiger Sterilität und Isolation für Literatur und Kunst und generell für das kulturelle Leben.
Mit seinem Bemühen um Anbindung und Identität betrat Noflaner also ein Niemandsland zwischen literarischer Unbedarftheit und dem Problem der Sprache in einem Raum ohne Einheit. Die kulturelle und sprachliche Orientierung in seiner Familie war deutsch, der gesellschaftliche Lebensalltag aber ein Nebeneinander mit dem regional geprägten Kulturraum Ladiniens. Am Ursprung stand – ziemlich außergewöhnlich für seine Herkunft – ein bewusstes Eintauchen, ein Aneignen der deutschen Sprachkultur und Dichtung als geistiges Domizil in einer lange noch primär bäuerlichen Welt im Tal in den Bergen. Dennoch wird Noflaner mit seiner Daseinsbestimmung als Schriftsteller dort, wo er geboren ist, ein Leben lang ansässig bleiben: in St. Ulrich, Pescosta Nr. 1.

Wie eine Kompensation mangelnder bildungsbürgerlicher Wurzeln und gebunden durch Herkunft, Land, Region war er von der deutschen literarischen Tradition hypnotisiert. Er absorbierte früh lyrische Muster, Tonfälle und Attitüden. Leidenschaftlich vertiefte er sich zuerst in die Weimarer Klassik, in Hölderlin, in die Werke der Romantiker und des Realismus, er beschäftigte sich mit Georg Büchner, Gerhart Hauptmann, Thomas Mann, Hermann Hesse, und von der Landschaft der deutschen Dichtung im Umfeld der zwei großen Kriege verschaffte er sich ein ausreichend klares Bild, was sich später in subtilen Spuren, etwa von Rilke und Trakl, niederschlug.
Aufgestachelt vom Antrieb, Dichter zu werden, bezahlte er allerdings seine Ambitionen ziemlich bald mit der Rolle eines abgewiesenen Außenseiters, wie es die Korrespondenz mit Verlegern aus den ersten 1930er-Jahren belegt. Als Fünfundzwanzigjähriger holte er sich mit den Briefen an zahlreiche renommierte Verlage und Literaturzeitschriften in Berlin, Wien, München, Leipzig die erste Positionsbestimmung als Fremder im eigenen Land im Exil zur falschen Zeit. So gesehen taugt diese Biografie ausgezeichnet als Illustration für eine heldenhafte Selbstbehauptung durch Scheitern im Krähwinkeltal. Aber ist die Rolle des verkannten Schriftstellers nicht ein alter Hut, eine Marotte, die geeignet ist, seine eigentliche und ganz anders geartete Autorität dauerhaft zu verschleiern? Manches spricht dafür, dass es so ist, jedenfalls bisher.
Den Lebenslauf von Franz Josef Noflaner als Demonstration einer solchen Pose zu deuten, trägt nicht weit genug, obwohl die Bemühungen, als Schriftsteller registriert zu werden, militant missglückt sind. Die Rückbindung des Schreibens an die eigene Biografie verleitet dazu, es als Ersatzhandlung zu deuten, die sich wie eine Folie über das handschriftliche Gekritzel und die vielen Tausend Seiten seiner maschinengeschriebenen poetischen Recherche gelegt hat, um der Nachwelt zu ersparen, auch den materiell darauf angesammelten Staub zu entfernen. Was es darunter freizulegen gibt, nachdem man sich die Finger schmutzig gemacht hat, ist das weit über seine Zeit hinausweisende Opus einer Krisenerfahrung der modernen Welt.
Nach seinen literarischen Anfängen nützt Noflaner die Schriftstellerei und Poesie, sich mit Grundfragen der menschlichen Existenz zu beschäftigen. Die Notwendigkeit, ein theoretisches Programm für sein Unterfangen zu entwickeln, plagte ihn nur im Grundsätzlichen,

es sind die Markierungen der literarischen Tradition, die Vorbilder und Meister, die Spuren und Stempel hinterlassen. Vor dem Hintergrund der politischen Ereignisse spielte die Frage nach der Raumbindung eine ambivalente Rolle und der Verdacht auf Glorifizierung des Deutschtums ist nicht ganz von der Hand zu weisen. 1931 beantwortet er sich in einem Essay die Frage *Hat das lyrische Gedicht heute noch Lebenswert?* mit einer Selbstermutigung, die ihn sein Leben lang beflügeln wird: „Man muss nicht meinen, dass die Lyrik ausstirbt; aber man darf der Hoffnung sein, dass die Verleger aussterben, die die Lyrik zur Schande verbannen wollen. [...] Darum Schluss mit der Lüge von der Unzulänglichkeit der Lyrik, weil sie hauptsächlich deutsches Wesen widerspiegelt. [...] Lyrik will gekonnt und nicht gekünstelt sein; sie will aus hinreissender Empfindung zur ewiglich giltigen Form aufquellen aus den Strömungen einer begabten Seele; sie muss ferner eine Kunst der angewandten Sprache sein, um verdeckte Inhalte zur offenbarenden Erscheinung zu verweben."
Damit berührte Noflaner unvermutet ein Grundproblem, das auf Jahrzehnte die deutsche Literatur nach 1945 markiert hat: das einzigartige Dilemma in der Frage nach ihrer gesellschaftlichen Aufgabe und politischen Verantwortung und der Widerstreit zwischen Traditionalismus und radikaler Erneuerung. Während für den literarischen Neubeginn nördlich des Brenners die Tragfähigkeit der Poesie mit Zweifeln und Enttäuschungen behaftet und Sprachkritik das angesagte Mittel war, setzte Noflaner den eingeschlagenen Weg ohne bemerkenswerte Korrekturen fort. Die Bindung an die deutsche Sprachkultur blieb unbeschädigt, so wie das poetische Sprechen in gebundener Form, durch das sich Noflaner von den verschiedenen Tendenzen der Formauflösung und Sprachreflexion abgrenzt. Literatur bedeutete ihm nach wie vor Hinführung zu gediegener Sprachbeherrschung, zu Edukation und Geistesbildung inmitten der Provinz, im Kontrast zu den politischen Akzenten im Nachkriegsdeutschland mit „Re-Education" und Demokratisierung der Gesellschaft durch Literatur.
Ein Vergleich mit den Szenarien der deutschen Literatur nach 1945 drängt sich auf. Bei Noflaner gibt es keine Berührungspunkte zur Sache der Kriegsheimkehrer, zum Sammelbecken der Ausgestoßenen und zu den Themen und Stoffen der Trümmerliteratur der jüngeren Autorengeneration. Er passt eher in die um 1945 ältere Generation,

konservativ und formbewusst, elegisch und auf ein geistiges Weltbild hin orientiert, das im Widerspruch steht zum „Geist der Zeit". Das Neue der 1950er- und 1960er-Jahre liegt in einer experimentellen Erneuerung der Sprache und in den Erfahrungen einer neuen Sachlichkeit mit den verschiedenen Spielformen von Sprachkritik und Realismus. Den Verzicht auf jeglichen Sprachklang und die offensive Anti-Poesie gegen eine behauptete Nachbarschaft von Ästhetizismus und Barbarei teilt Noflaner nicht. Im Gegenteil.

Die für diese Edition getroffene Textauswahl legt nahe, dass auch für Noflaner die 1950er- und 1960er-Jahre die produktivste Zeit waren, in welcher er zudem sein poetisches Instrumentarium verfeinerte und epigonale Elemente zurückließ. Hier zeigt sich, worin möglicherweise die besonders relevante und bemerkenswerte Eigenleistung in diesem Werk liegt: das Denken in Bildern forcieren, Dinge und Erfahrungen aus der Lebenswelt in ein poetisches Werkzeug umwandeln, um damit den begrifflich festgelegten Inhalten eine stimmungshafte und zugleich imaginär erweiterte Bedeutung einzuhauchen. Dinge aus dem Inventar der realen Lebenswelt wie *Sonne, Sterne, Rose, Feld, Wiese, Nebel, Wolken, Schlange* usw. sind hier nicht nur Träger von Worten und Zeichen, sie sind auch Sachen, die neue oder altbekannte Bedeutungen annehmen können und so als ein Teil in einem größeren Ganzen fungieren, das man als Gesamtbild des Daseins identifizieren muss. Was Noflaner rigoros vermeidet, sind Bilder zum Zweck eines elaborierten Redeschmucks oder einer bloß ästhetischen Geistreichelei. Hingegen arbeitet er an einem gezielten Einsatz des metaphorischen Sprechens, an einer Daseinsmetaphorik und Erfassung sinnhafter Zusammenhänge zur geistigen Bewältigung der Existenz: die Wirklichkeit auf Distanz halten, ihren Schrecken verarbeiten, das vermeintlich Bekannte, aber Verdrängte oder Hinfällige vergegenwärtigen und den Absolutismus der Wirklichkeit relativieren.

Das ist gewiss keine neue poetische Erfindung, die Wirklichkeit geistig zu bewältigen oder sich Entlastung zu verschaffen, den Tod oder das unverdiente Glück als etwas dem Menschen nicht Zustehendes zu entlarven und sie zugleich aber zeitlebens erfolgreich abgewehrt zu haben. Interessant sind die Kontraste und Affinitäten, in die dieses Werk in Bezug auf seine Zeit und auf unsere Gegenwart verstrickt ist. Der Lyrik und Prosa von Franz Josef Noflaner ist das dominant Erlebnishafte weitgehend fremd, öfter ist sie intellektualistisch und sentenzenhaft oder belehrend, oft auch gespeist aus Brechungen zwischen Ironie und Stimmung, zwischen Stil oder Inhalt. Noflaner meidet alles Antipoetische, das er für ein Symptom des Verlusts und der Negation der Kunst hält, und er webt an einem Geflecht aus schönem Klang, gepaart mit einer mangelnden existenziellen Behaglichkeit. Demnach sind seine Sinngedichte höchst ambivalent. Sie stehen in einer Spannung zwischen dem hohen dichterischen Ton und der Erfahrung eines diskreditierten und unzulänglichen Kunstanspruchs, zwischen dem geformten Sprachklang und dem Porträt einer archaischen Gesellschaft als Gegenwelt zum Fortschrittsrausch inmitten einer von Zerfall und Erosion des Kollektiven geprägten Gesellschaft. Ein wiederkehrendes Leitmotiv für die Sinnentleerung der modernen Gesellschaft ist das *Nichts*. Allerdings steht es nicht affirmativ für eine Auflösung der Werte im Nihilismus, sondern für die Hinfälligkeit des Gestalteten und Kollektiven, bedroht durch Modernitätssucht und Chaos der Alltagswelt, und für das Krisenerlebnis der eigenen Epoche. Nicht weniger beharrlich durchzieht das Sinnbild einer emblematischen Endlichkeit und Unendlichkeit der Zeit die Geschicke der Hauptfiguren. Sie sind Mahnmal gegen die menschliche Blindheit und eigene Vergänglichkeit, das Memento mori einer dem Menschen zugemuteten Besonnenheit.

Was Noflaner dem entgegensetzt, ist eine Gegenwelt, ein Repertoire an archaischen Bildern, eine Vielfalt von Erscheinungen: poetische Imaginationen, Botschaften, Episoden und archetypische Szenen. Die Verflechtung von erlebten Abenteuern, Romanzen, Geschehnissen mit Erinnerungen an Menschen, Dinge, Tiere, Pflanzen verwandeln sich in eine Wunschmaschine, in eine Welt voller Überschneidungen und Transformationen. Poesie erweist sich hier als Laboratorium einer zeitlosen, vormodernen Anthropologie und die Realität ist der Lieferant von Emblemen oder Stillleben, von impliziten Metaphern, von Porträts und von Dingen in ihrem Zerfall.

Für die Herausgabe dieser Werkedition beinahe drei Jahrzehnte nach dem Tod des Autors finden sich inzwischen leicht Antworten auf die Frage nach den Ursachen dieser Unterlassung, denn es handelt sich um Ursachen und nicht um Gründe. Dieses Werk ist kein Ereignis willkürlicher Verdrängung. Viel eher erweist es sich in seiner Verbundenheit mit früheren Überlieferungen als ein Demonstrationsobjekt zeitlos gültiger Sinnfiguren, das in einem akuten Kontrast zu seiner zeitgenössischen Welt stand. Es lassen sich Parallelen finden zwischen der darin gespiegelten Lebenswelt Noflaners und jener aus vormodernen, antiken Überlieferungen: der Wandel der Zeiten, der Drang, das in zwei Kriegen erlebte Panorama aus Nichtigkeit und Chaos unter Kontrolle, vielleicht zum Verschwinden zu bringen, ohne es je direkt zu beschreiben, sondern es zu ordnen durch Versmelodie, poetischen Klang und Bildsymbolik. Anthropologische Einsichten und ethnologische Blicke entziehen sich dem Zeitgenössischen und erinnern an alte Vegetationskulte. Die erschöpften Lebensgeister lassen eine Nähe zum sogenannten Primitiven anklingen, wie man es von Picasso oder von der expressionistischen Bewegung her kennt oder auch von Gottfried Benn mit der provokanten Verflüchtigung des Individuellen. Im Lauf der Zeit erweitert Noflaner dieses Flechtwerk aus Emblemen über *Leben, Tod, Zeit, Mensch, Tier, Berg*, das *Nichts* auf Elemente wie *Kopf* und *Hand* als Verdinglichung und Fragmentierung des Menschen. Die Dialektik zwischen Wirklichkeitsverzicht und Zivilisationskritik auf Kosten der „Daseinsnarren" wird zur vielleicht grundlegenden Konstante in diesem Werk. Und später tauchen in seinen gemalten und gezeichneten Bildwelten weitere Insignien der „Zivilisation" auf: *Autobahn, Flugzeug, Technik, Psychoanalyse, Raumfahrt*. Eine aktuelle Triftigkeit bezieht dieses Werk heute aus einer hypothetischen Antizipation nachmoderner Bewusstseinsinhalte (oder sind es nur frühmoderne Repliken auf den Nihilismus?), die das Allgemeine über das Individuelle erheben und dabei sind, das lyrische Ich zu liquidieren. Es wächst nicht nur die Entfremdung zwischen den lyrischen oder epischen Sprechern und dem Ich des Autors bei einer unübersehbaren existenziellen und geistigen Emigration. Die Rolle des Subjekts ist ausgefranst, die Figuren durchleben bewusstseinsmäßig heterogene innere Identitäten und bewohnen eine Welt von Metamorphosen. Herkömmliche Grenzen zwischen vegetativ, organisch, human oder faunisch werden durchlässig und es herrscht eine Ganzheit aus Naturerscheinung und Menschenreich.

Das obsessive Verlangen Noflaners nach einem Sinn in den Erscheinungen, um diese im Sprachklang als zeitlose Sinnfiguren aufzubewahren, gleicht einem Orakelspruch, demzufolge von den Verheißungen der Menschen kein Heil zu erwarten ist. Nicht selten erweist sich die Skepsis gegenüber dem Fortschritt als das Bewusstsein dessen, was vorhergegangen ist und nachfolgen wird. Es ist wie eine

Zeitüberlegenheit durch den Verzicht auf Aktualität, eine Rechtfertigung des Seins und des Lebens über den Horizont des vom Menschen verursachten Chaos hinaus. Oder ist es ein in jede Existenz eingeschriebenes Chaos als Scheitern, das zu zähmen bereits Sisyphos angetreten war und das sich im Bewusstsein vom Sinn des Daseins ohne Hoffnung noch einmal konkretisiert?
Darauf bezieht sich die These von diesem Werk als Dokument einer geistigen Daseinsbewältigung, das heute vielleicht zu bewegen vermag. Auf den wenigen Reisen, etwa nach Paris, Florenz, Berlin, hat Franz Josef Noflaner im Schnelldurchlauf Impressionen von der anderen Welt aufgesogen und sie zu seinen eigenen Inspirationen absichtsvoll auf Distanz gehalten, sodass keine Kompromittierung des Außenseitertums und keine Annäherung an eine Ankerstelle drohte. Höchstens visuelle Zugriffe oder Aha-Erlebnisse aus dem Chaos-Repertoire, ansonsten lange Jahre in asketischer Selbstgenügsamkeit und für einige wenige Freunde Leitfigur eines avancierten Nonkonformismus. Die Anerkennung ließ lange auf sich warten, – bis auf die Nachrufe auf seinen Tod. Und von spätem Ruhm ist auch hier nicht zu reden, vielleicht auch nur wieder von einer Eintragung in den Kanon einer irrelevanten Minorität.

Markus Klammer

Elmar Locher

Franz Josef Noflaners poetische Botschaften: „halb ein Gebrummel, halb Musik"

Das neunzehnte / Jahrhundert zu bezwingen / ist mir gelungen. / Man verdenkt es mir. So das lyrische Ich in dem Gedicht „Verehrte Leser". Doch was wäre da bezwungen, wenn das 19. Jahrhundert bezwungen wäre? Wäre es das poetische Wort dieses Jahrhunderts? Wären es die Risse, die sich in dieses zackern und dann zu Abgründen aufklaffen, sprachlich und gesellschaftlich, Wert und Geldwert benennend? Wäre es das Ich, das nach seiner erst vor kurzem bestimmt-bestimmenden Setzung schon brüchig wird und zu ahnen beginnt, dass es erst am Ende des Satzes zu wissen vermag, was es als setzendes zu sagen scheint, und, nunmehr zum bloßen ‚shifter' geworden, nur mehr die Redeinstanz selbst zu benennen vermöchte und mitnichten mehr der Herr im eigenen Haus wäre? Allererst dürfen wir, eben dieses 19. Jahrhundert vor Augen, an ein anderes Werk denken, das eben dieses unverblümt in die Sprache zwingt: Charles Baudelaires „Die Blumen des Bösen". Es setzt ein mit seiner Adressierung „An den Leser": *Dummheit, Irrtum, Sünde, Geiz hausen in unserem Geiste, plagen unsern Leib, und wir füttern unsere liebenswürdigen Gewissensbisse, wie die Bettler ihre Ungeziefer nähren. Doch unter all den Lastern ist eines größer noch, schmutziger: Die Langeweile ists! – Das Auge schwer von willenloser Träne, träumt sie von Blutgerüsten, ihre Wasserpfeife schmauchend; du kennst es, Leser, dieses zarte Scheusal, – scheinheiliger Leser, – Meinesgleichen, – mein Bruder! (– Hypocrite lecteur, – mon semblable, – mon frère!)* Wäre dies alles nun, nach Noflaners lyrischem Ich, bezwungen? Ich denke nein, und wie denn auch? Noflaner bewegt sich in den poetischen Figuren eben des 19. Jahrhunderts, er hat es nicht bezwungen im Sinne einer neuen Sprache, wohl aber in der Kenntlichmachung der in diesem aufbrechenden Schattenwürfe und Begehrensängste, manchmal stammelnd, manchmal raunzend und greinend, eingeschlossen in der Enge eines Müssens, *im Hin und Her / der Wechseldunkelheiten: Die Berge rühren / nimmer sich vom Fleck. / Die Welt bleibt Welt! / Es bleibt die Erde Erde.*

Noflaners „Verehrte Leser" schließt Baudelaires Leser nicht mit ein, bezeichnet ihn nicht als Bruder und seinesgleichen. Das Wort steht ihm zwischen *Gelingen* und *Mißlingen* und bedarf der *tausend Fäden* zum Weben der Textur. Seine Reime setzen sich *halb ein Gebrummel, halb Musik: / Wenn um die Stauden irgendwo/ kotzt seinen Rausch der Augenblick*. Diesem Wort gegenüber finden sich die Betrüger, Schwätzer, denen der Dichter zum Aas wird. Für den scharfen Gegensatz von Gesellschaft und Dichter findet Baudelaire das schöne Bild des Albatros – „Der Albatros", der Fürst der Wolken, der manchmal zum Zeitvertreib von den Seeleuten gefangen wird, lässt, einmal gefangen, *seine weißen Flügel, wie Ruder kläglich neben sich am Boden schleifen* [...] *auf den Boden verbannt, von Hohngeschrei umgeben, hindern die Riesenflügel seinen Gang*. Oder im Gedicht „Segen" wird die Geburt des Dichters von der eigenen Mutter als Fluch gelebt: *Wenn auf Geheiß der höchsten Mächte der Dichter in dieser öden Welt erscheint, bricht seine Mutter voll Entsetzen in Lästerungen aus und ballt die Fäuste gegen Gott, den sie dauert*. Diesen Gegensatz markiert auch Noflaners Gedicht. Der Dichter bei Baudelaire: *Er spielt mit dem Wind, spricht mit der Wolke und singend zieht er trunken seinen Kreuzweg hin; der Geist, der ihm auf seiner Pilgerreise folgt, weint, als er ihn wie einen Vogel der Wälder unbekümmert sieht. // Alle, die er lieben will, betrachten ihn mit Argwohn oder aber, aus seiner Ruhe ihre Dreistheit schöpfend, eifern sie um die Wette, wer ihm einen Klagelaut entrisse, und erproben ihre Grausamkeit an ihm*. Der Dichter bei Noflaner: *Weil sie alle ohne Götter sind / wollten sie auch meine Welt entgotten / und mein Hoffen in die Pfütze hotten / als des Irrtums lächerliches Kind.* [...] *Durch die Weiten mochte ich mich trotten*. Spleen und Ideal bei Baudelaire, berglerische Schwermut und das Bewusstsein vom verlorenen Paradies bei Noflaner: *Ich will nicht mehr, / der Weil' ich müde bin. Mein Herz ist schwer, / der Kopf voll trübem Sinn. // Das geht so her / und geht so wieder hin! / Ein Ungefähr, in dem ich elend bin*. Und der trübe Sinn, die Melancholie, die Schwermut bestimmen die Worte: *Ein Nebelmeer / steigt aus dem Ungefähr / mir Jahrelang / voll Angst und Überschwang. // Mein Herz ist schwer! / Der Fuß spürt Untergang; / von Jahr zu Jahr / des Schicksals Nachtgesang*. Manchmal scheint dieses Ich ein König eines regnerischen Landes oder der „Seen der Vergessenheit": *Es regnete lang. / Meine Seele ward trübe! / Von verlorenen Sternen / ward leer mein Gemüt*. [...]

Nein, gewiss, Noflaner ist nicht Baudelaire. Noflaners Gedichte sind dort stark, wo sie in ihrer Knappheit sich auf Bilder der eigenen

Sprachlandschaft beziehen. Manchmal ufert die Sprache aus, begibt sich auf ein Terrain der Uneigentlichkeit, benennt Metaphysisches und verliert ihre Konkretheit, die sich auf einen sicheren Blick verlassen kann, schlägt um sich und wird redundant. Dann aber findet sie wieder zu Leichtigkeit, zu Sprachspiel und Wortwitz. Noflaner, der Solipsist, der sich selbst nicht ungern zwischen Genie und Wahn begreift, hätte des Dialoges bedurft, des kritischen Einspruchs, der ihn zur Stringenz angeleitet hätte. Es gibt aber selten ein Gedicht, in dem nicht eine sprachliche Wendung überraschte, ein Bild zu überzeugen wüsste. Aber und dennoch: Warum bricht, nicht bei jedem Gedicht, aber bei einigen schon, Noflaner lesend, der Wunsch durch, Baudelaire in einer Parallellektüre memorieren zu wollen? Aus welchen Zeiten kommt das Ich bei Noflaner und in welche geht es? Von einem Du verlassen, von dem man gar nicht weiß, woher es kam und wohin es entschwunden, gibt es nur mehr ein »Untröstliches Gefühl«: *Wo bist du hin? / Von wo warst du denn her? […] So bist du tot? / Ertrunken gar im Meer? / Von meiner Not / singt keine Schwalbe mehr.* Und wohin sind die Erinnerungen versickert, die sich immer noch anreichern mit den Erfahrungen einer Landschaft, in der *die Berge einsam sind: Wie lange ist das schon her, daß ich bin? / O, ganze Zeiten, halbe Ewigkeiten / weiß ich mich tüchtig durch die Wogen gleiten; / und ohne Rast und Ruh flitzt es dahin, / mein Flossenspiel, in unbekannte Weiten, / die sich wie endlos um die Strömung breiten.* Warum muss ich, wenn ich Aas bei Noflaner lese – *Der Teufel hole / Schwätzer und Betrüger! Wenn du zum Aas wirst / wollen sie das Aas* –, Baudelaires „La Charogne" mitdenken? Schiffe und Reisen, hier wie dort, Nebel und Regen auch und der Gang der Jahreszeiten. Baudelaire: *O Spätherbst, Winter, schmutzdurchtränkter Frühling, einschläfernde Jahreszeiten! Euch liebe und lobe ich, daß ihr mein Herz und Hirn so einhüllt mit dunstigem Bahrtuch und schemenhaftem Grab.* Noflaner: *[…] Die Schwermut drückt die Glieder / mir in die Stille so. // Von schönen Träumen schied er, / der Wille, sowieso. / Dann duftete der Flieder, / ein Märchen lichterloh. // Doch Kälte macht zum Schatten / die fröhlichste Person. / Man kennt den Winter schon. // Was wir vom Frühling hatten, / der Sommer frißt es auf – / und weist dem Herbst den Lauf.* Und dann, immer wieder die Adressierung des eigenen Wortes an die Muse: *Halte mir die Muse / nicht vom Leibe. / Sie gehört zum Lied, / an dem ich schreibe.* Freilich ist es die Adressierung „An ein Gespenst". Und bei Baudelaire richtet

sich das Wort an die kranke Muse und an die käufliche. Bei Noflaner wird zwar nicht wie bei Baudelaire *Eine Reise nach Cythera* angetreten: *Mein Herz schwang vogelleicht sich freudig auf und nieder und schwebt frei rings um das Tauwerk hin; das Schiff zog unter wolkenlosem Himmel seine Bahn, gleich einem ganz von Sonne trunkenen Engel.* Doch auch Noflaners Schifflein sucht *sein Uferland*, in der fabulierten Leichtigkeit der Harmonie, die freilich nur auf dem Papier, und auch dort nur für den Augenblick, Verweildauer sich erschreibt: *Taucht auf, geht ein; / gebändigt und allein – / dem Weltgeschick / gebunden an den Strick. // Besteht. Vergeht / so wie ein Hauch verweht / im Sommerwind / bei Schmetterling und Kind. / Mein Schifflein eilt / dahin; und unverweilt / erscheint die Nacht / im Kleid der Sternenpracht.*
Noflaners Ich weiß um die Risse, die es durchzittern – *So spricht mein Ich / oft aus mir selbst / als wäre es / der Feind von mir* –, kennt die Verwerfungen der Seele, die es an den Abgrund drängen, den das Gedicht markant an seiner Oberfläche in Szene setzt: *Ich muß zurück // mich von der Spur / der schwarzen Tiefe halten!* Und nur die formale Meisterung des Strophensprungs, die klaffende Lücke zwischen Zeile und Zeile, Strophe und Strophe, scheint es noch auf dem Rande zu halten, an dem die Tiefe schon heraufschwärzt. Und in welche Fallstricke das Ich in Noflaners Gedicht sich nunmehr verheddert, sich beinahe schon als leergeräumtes schreibt, nachdem es sich im deutschen Idealismus noch als selbstherrliche Instanz gesetzt hatte, verdeutlichen die wenigen Zeilen: *Ich mache mich / mir selbst nicht zum Gelächter! / Selbst ist das Ich / von meinem Ich der Pächter.* In der juridischen Terminologie des Pachtvertrages tut sich eine Spannung auf zwischen Besitz und Eigentum, Vertragsverhältnisse unbestimmter Erträge benennend. Johann Christoph Adelungs „Grammatisch-kritisches Wörterbuch der hochdeutschen Mundart" bestimmt Pacht so: „In engerer Bedeutung, ein Vertrag, in welchem man die Nutzung einer Sache einem andern gegen einen Theil des Ertrages, oder auch gegen eine bestimmte Geldsumme überlässet, in denjenigen Fällen, in welchen das Zeitwort pachten üblich ist". Und „pachten" unterscheidet sich dann von „miethen" insofern, als dass durch „pachten" etwas erst durch Mühe und Arbeit nutzbar gemacht werden kann. Aber das Wörtchen ‚selbst', nach Adelung noch ein Nebenwort („welches zur genauen Bestimmung eines persönlichen oder demonstrativen Für- oder Hauptwortes dienet, und von der Person oder Sache, worauf es

sich beziehet, die Beyhülfe, Mitwirkung, Vertretung u.s.f. eines jeden andern Individui ausschließet"), schreibt sich schon auf das ‚Selbst' zu, um das psychoanalytische, philosophische wie soziologische Bestimmungen zu wuchern beginnen: Das ‚Selbst', die Instanz, die das Bild sichert, das dem Ich Kontinuität wahrt. *Selbst ist das Ich*: Ist nun das ‚Selbst' als die Konstanz des Ich der Pächter des eigenen Ichs, oder ist das ‚Selbst' auch hier nur das Adelungsche Nebenwort? Welche Mühe und Arbeit hätte aber das ‚Ich' am eigenen ‚Ich' zu leisten und welcher Ertrag wäre von welcher Ich-Instanz an welche zu entrichten? Das Ich als Subjekt scheint zugleich sein eigenes Objekt. Und dann gibt es bei Noflaner noch eine merkwürdige Weiterung, die zu einer Unentscheidbarkeit führt, in der die Trennung von Subjekt und Objekt aufgehoben scheint. Oder anders gesagt: Der Gegensatz zwischen konstituierend und konstituiert, der nicht nur für politische Verfasstheiten gilt, sondern noch für jeden Lebensentwurf, scheint aufgehoben. Damit wird das Paradoxon ausgehebelt, dass jede Konstituierung ihrerseits zur konstituierten wird. So wird die Figur der ‚Destituierung' möglich, eine Art ‚Geschäftslosigkeit', die erreicht werden müsste, wollte man dem unheilvollen Binom konstituierend-konstituiert, das noch in jeder neu konstituierten Gesellschaft bestimmend wirkte und das sowohl im Denken Hannah Arendts wie Giorgio Agambens eine bedeutende Rolle spielt, entkommen. Um diese so wichtige Denkfigur näher bestimmen zu können, greift Giorgio Agamben auf Spinoza zurück. Das Beispiel, das Agamben als geglückt bezeichnet und das er bei Spinoza findet, benennt das Verb aus dem ‚Ladino', der Sprache der Sepharditen zur Zeit ihrer Vertreibung aus Spanien: ‚paesarse', ‚passeggiar-sé', das vielleicht wiedergegeben werden könnte mit: ‚sich selbst spazieren führen'. In dieser Sphäre der Wirkung eines Selbst auf das Selbst ist es nicht mehr möglich, zwischen dem Ausführenden und dem Erleidenden, zwischen Subjekt und Objekt oder zwischen Konstituiertem und Konstituierendem zu unterscheiden. Doch diese Figur findet sich auch in Noflaners Gedicht: *Durch die Weiten mochte ich mich trotten*. Auch hier: Ein Ich führt sich selbst als sein Ich spazieren.
Es scheint die Geschäftslosigkeit des poetischen Wortes, die da erreicht ist. Und diese zeigt sich auch in den Prosaarbeiten. Da reiht sich, anfangs, Satz an Satz. Ein Element des vorausgehenden Satzes wird im Folgenden aufgegriffen, es scheint die plane Tautologie.

Doch zwischen diesen Sätzen dann, da tut sich ein Abgrund auf. Was tautologisch schien, klappernde Wiederholung, Leerlauf der Sprache, in Szene gesetzte Naivität des Schulaufsatzes, ist perhorreszierte Lustangst. Was zeigt uns „Blick in die Gegenwart"? *Unser Haus ist da. Viele Häuser liegen der Reihe nach da. Die große Stadt ist ohne eine Unmenge von Häusern nicht denkbar. In all diesen Häusern wohnen unzählige Menschen. Menschen aller Klassen und Berufe.* Zwischen all diesen Häusern, die der Reihe nach dastehen, tritt ein *Kommendes* auf. Es scheint nicht näher bestimmbar, doch es nimmt gebieterisch Gestalt an. Aus einem Ungefähr tritt es auf, wird entweder *zur himmlischen Jungfrau oder zur höllischen Hexe*. In solchen Setzungen ist Noflaners Prosa stark. Satz für Satz konstituiert sich der Text und Satz für Satz destituiert sich der Text. Schwächer wird der Text, wenn er metaphysisch überhöht wird. Da wird es schon mal schal, und die Worte verlieren das Bannende einer höchst artifiziell gesetzten Einfachheit. Es scheinen ‚Prosastückli', die Noflaner da schreibt, nicht Novelle, nicht Essay, Genregrenzen verwischend. Aus dieser Prosa bricht dann der Reim durch, in die Rahmung schreibt sich das Gedicht und geht dann wieder in die Prosa über. Und in diesem Terminus des ‚Prosastücklis' tut sich der Verweis auf den Erfinder dieses Textgenres auf: Robert Walser. Es gibt Photos von Robert Walser, in denen sich Bezüge zur Physiognomie Franz Josef Noflaners zeigen. Und es gibt Textanfänge bei Noflaner, die die Schreibgesten Robert Walsers evozieren. So im Text „Vom Häuschen am See": *Maats stieg ins Boot. Ohne leisestes Wellengekräusel lag der tiefblaue See. Die Schwalben strichen hoch und flink durch die flimmernde Luft. Im nahen Nadelwalde rief der Kuckuck nach seiner Genossin. Der Äther schien vor Wärme zu singen. Das war aber nur Einbildung. Maats stieß die Ruder ins Wasser.* Am anderen Ufer wartet natürlich Helena und sie wartet auf den wichtigsten Roman ihres Lebens, der für sie gerade begonnen hatte. Und es kommt, wie es kommen muss. Der Roman erfüllt sich zwischen beiden. Am Ende liest Mutter Sophie noch ein Stück aus „Hermann und Dorothea" vor. Und ja, das Stück scheint aus diesen Materialien gebaut. Die Worte scheinen aus dieser Zeit herübergerettet. Doch wie sie sich Satz für Satz setzen, da gehen sie über die Zeit hinaus, gehen in den Zweifel unserer Zeit ein. Die beiden Liebenden hatten sich viel zu erzählen: *Nicht gerade turmhohe Luftschlösser waren es, aber doch kleine Märchen. Wie Hoffende halt so in die Zukunft*

blicken. Mit suchenden Augen und lauschendem Gehör. Der Einwand des Vaters, dass das Epos *nimmer modern* sei, wird von der Mutter zurückgewiesen: *Über unseren Altmeister im klassischen Hain kommt nichts. Kein Unwetter und kein Bombenhagel. Den Nimbus um seinen Ruhm laß ich mir nicht nehmen.*
Und das Ich der Briefe? Da scheint alles klar. Wir haben einen Adressaten des Briefes, wir haben einen Unterzeichner und das Ich des Unterzeichners scheint dem Ich des Schreibers zu entsprechen. Doch was, wenn dem nicht so wäre? Was, wenn sich zeigte, dass sich das Ich des Briefes erst im Schreiben herausstellte und Gegenpart böte dem Ich, das da als biographisches am Ende signierte? Die Briefe Noflaners scheinen in diese Richtung zu weisen. Da geht ein Brief von Ortisei, Gardena, nach Kalifornien. Und der Brief ist unterzeichnet mit Franz Jos. Noflaner, Dichter. Will das Ich des Briefes die Adressatin beeindrucken, denn diese ist nicht irgendwer, es ist Greta Garbo. Und wer wäre schon Franz Jos. Noflaner aus Ortisei, Gardena, wenn sich dieses biographische Ich nicht als Dichter hypostasierte? Und was darf ein Dichter beanspruchen? Er darf sich wünschen, dass bald wieder *ein Bild des Films irgendwo zu sehen sein wird, damit wieder eine Abwechslung ins Leben kommt und wirkt.* Andere mögen sich Autogramme wünschen, ein Dichter aber darf wohl dafür halten, dass es *keine Todsünde* sei, *gelegentlich einer Schönheit [s]eine Bewunderung auszudrücken.* Da wird mit dem Pfund des ‚Dichter-Ichs' gewuchert, um dem ‚biographischen Ich' ein Bild der Schönheit bereit zu stellen, das dann zuhanden wäre – als Fetisch? Immerhin scheint vorausgesetzt, dass man vom ‚Dichter-Ich' im fernen Kalifornien weiß. Understatement sieht anders aus. Und wie sollte Greta Garbo im fernen Kalifornien mit der doch sehr an Ortisei, Gardena haftenden „Todsünde" umgehen und mit der Feststellung *und ich muss sagen, dass Sie mir fast zu schön sind*? Robert Walsersche Töne scheinen da in der Seele des Dichters, der in einer Landschaft lebt, *in der die Berge einsam sind,* ihre Anklangsnerven zu finden.
Dieses Schriftsteller-Ich tritt dann in regen Briefkontakt mit Verlegern, Zeitungsmachern, Herausgebern und Filmgesellschaften. Dieses Ich, das sich 1931 an den Georg Müller Verlag, München wendet, stellt schon *im Vorhinein* klar: *Falls Sie die beiliegenden Manuskripte nicht in Druck bringen wollen, ist es Ihnen auch nicht erlaubt diesen Brief zu behalten, weil ich ihn anderweitig wieder verwenden will, und*

weil mir ferner sehr wenig daran gelegen ist in Verlagen, die von mir nichts wissen wollen, einen Brief meines Ursprunges liegen zu wissen. Welch ein Rabaukenton schreibt sich da von der Peripherie in der Ortsangabe der fremden Sprache ins Zentrum des literarischen Lebens. Der Brief, den Noflaner rückerstattet haben will, hätte unter der Korrespondenz des Müller-Verlages nicht schlecht gelegen. Der 1903 von Georg Müller gegründete Verlag zählte Franz Blei, Frank Wedekind oder etwa August Strindberg zu seinen Autoren. Der Verlag war bekannt für seine Klassikerausgaben (die Propyläen-Ausgabe Goethes, die Horen-Ausgabe Schillers, E.T.A. Hoffmann, Clemens Brentano, Friedrich Hölderlin etc.) und erreichte ein Millionenpublikum. In seinem Verlagsprogramm standen Autoren wie Sterne, Gogol, Puschkin, Turgenjew, Tolstoi, Pascal. 1919 hatte der Ullstein Verlag die aufwendigsten Titel des Müller-Verlages übernommen und damit den Propyläen-Verlag gegründet. Die beiden zu Jahrhundertbeginn so renommierten Münchner Verlage Georg Müller und Albert Langen wurden 1927 und 1931 vom ‚Deutschen Nationalen Handlungsgehilfen-Verband' aufgekauft und fusionierten 1932. Der nunmehrige Langen Müller Verlag radikalisierte sich in der Folgezeit zusehends zum Völkischen hin. Ob sich Noflaner nach 1932 noch in diesen Worten geäußert hätte? 1922 war aber im Georg Müller Verlag Paul Renners *Typografie als Kunst* erschienen in der ‚Original-Ungerfraktur'. Paul Renner, der die Buchgestaltung des Verlages innehatte, zählt zu den großen Buchgestaltern des 20. Jahrhunderts und von ihm stammt die Entwicklung der serifenlosen Schrifttype ‚Futura' (1925), der extreme Versuch, die Druckschrift vom Duktus der schreibenden Hand zu lösen. Noflaner wusste also, an wen er sich wandte und wo er seine Werke aufgehoben wissen wollte, auch wenn er eine Verschwörung wittert gegen sein Werk, insistent dessen Wert betonend: *Es ist sehr einfach mir immer wieder die eingesandten Sachen zurückzuschicken; es ist aber unmöglich mich immer zu unterdrücken, mag es bis dato auch immer wieder der traurige Fall gewesen sein.*
Noch wagemutiger setzt sich dieses Ich, das sich offensichtlich *Alles* zutraut, im Brief an den Verleger Kurt Neven DuMont, vermutlich um 1930 geschrieben, in Szene. Der Brief antwortet auf die Ablehnung (*Ihr Brief als Antwort auf meine Anfrage .... brachte mir als Ablehnung eine aalglatte Entschuldigung, die es keineswegs verdient ernst genommen zu werden!*) einer Bewerbung Noflaners auf die freie Stelle

eines Feuilleton-Redakteurs bei der ‚Kölnischen Zeitung'. Die ‚Kölnische Zeitung' gehörte bis zum Ende der Weimarer Republik zu den bedeutendsten überregionalen deutschen Tageszeitungen. Das Jahr 1930 ist insofern von Relevanz, als dass bei den Reichstagswahlen 1930 die NSDAP zur zweitstärksten Fraktion wurde. Wie darf aber folgende Passage gewertet werden? Er schreibt: *Aber Sie werden dessen ungeachtet die 125 – Mark pro Tag, soviel haben Sie ja wahrscheinlich für die Anzeige in der Literarischen Welt auch bezahlt, einem anderen Journalisten geben, der es weiterhin mit aller bayrischen Gemütlichkeit auf sich nimmt die gegenwärtig im Reiche noch hauptsächlich gang und gäbe herrschende Richtung des Niederganges zu verfolgen, ohne sich über die Folgen solchen Leichtsinns genauer Rechenschaft zu geben.* In welchen Kräften wittert er den Niedergang? Bezieht er sich schon auf den erstarkenden Nationalsozialismus, oder bezieht er sich auf ein Taktieren und Lavieren in der Kulturpolitik des Feuilletons, das eben ein solches Erstarken nicht zu verhindern wusste? Die ‚Kölnische Zeitung' verfügte als erste Tageszeitung (1838) über ein Kulturfeuilleton. Und geradezu als Weckruf gerät ihm um 1930 die Adressierung an Willy Haas, den Herausgeber der ‚Literarischen Welt', *Herr Willy Haas!*, der immerhin mit Franz Kafka und Max Brod bekannt war und zu dessen Zeitschrift, die um 1930 eine Auflagenhöhe von ca. 20.000 Exemplaren hatte, Autoren wie Robert Musil, Stefan Zweig und Thomas Mann gehörten. Walter Benjamin hatte seine Arbeit zu Marcel Proust („Zum Bilde Prousts"), die sich über mehrere Nummern (Juni und Juli 1929) erstreckte, in eben dieser ‚Literarischen Welt' publiziert. Noflaner verwehrt sich gegen die Unterstellung, nicht er, Willy Haas, hätte um Arbeiten angefragt, sondern er, Franz Jos. Noflaner, hätte Willy Haas seiner Verse nicht für wert befunden: *Ich bitte Sie darum mir doch mitteilen zu wollen warum aus meinen Strophen keine literarisch geschichtliche Erscheinung geworden ist?* Und er glaubt sich durchaus in der Lage, in der ‚Literarischen Welt' publizieren zu können: *Bekomme ich also Bescheid über meine Lieder, und erlauben Sie mir eine Abhandlung über irgend ein Thema für die ‚Literarische Welt' zu verfassen, damit auch ich zu einem Plätzchen im deutschen Haine der Musen und Göttersöhne komme? Ja oder Nein?* Nein, bescheiden geriert sich dieses Ich nicht, das da zwischen Adressierung und Signatur sich als der Dichter Franz Jos. Noflaner in Szene setzt. Und dann tritt dieses Ich im Jahr 1942 ins Gespräch mit sich selbst.

Es kann dies freilich nur, indem es eine Distanz schaltet zwischen sich und dem adressierten Ich. Die Postkarten werden aus naheliegenden Ortschaften an die Heimatadresse geschickt. Das adressierte Ich erscheint in der Verfremdung des italianisierten Namens und des Ortes, dies mag der politischen Not geschuldet sein. Aber nicht nur: Das Gespräch, das da ein Ich mit sich selbst zu suchen scheint, indem es sich als »Bester Gefährte«, »Lieber Bruder«, »Treue Seele« und »Lieber Geselle« tituliert, scheint dieses nur über das Medium der Schrift zu erreichen, in dem das eigene Leben wieder medial als kurzlebiger und vergänglicher Roman bezeichnet wird. Es ist dies freilich ein Leben, das sich in unentwirrbare Knoten verstrickt sieht, denn der Mensch scheint zu wollen, was er nicht kann, und zu müssen, was er nicht will. Solche Knoten, die nicht aufzulösen sind, hat erst Ronald D. Laing in seinem berühmten Buch *Knots* von 1970 darzustellen versucht. Nur über Distanzen und Differenzen scheint ein Ich zu seinem *Ich* zu kommen. Und auch Neuronen können in kommunikative Austauschverhältnisse nur dann treten, wenn ein Synapsensprung erfolgt, wenn ein Signal über die Synapse springt, über einen kleinen Spalt hinweg, vom Axon ausgehend. Vielfältige Brechungen, also.

Johann Christoph Adelung, *Grammatisch-kritisches Wörterbuch der hochdeutschen Mundart*, Bd. 3, Leipzig 1798 u. Bd. 4, Leipzig 1801.
Giorgio Agamben, *L'uso dei corpi,* Vicenza 2014.
Baudelaire. Sämtliche Werke / Briefe in acht Bänden, Bd. 3 u. Bd. 4, *Les Fleurs du Mal / Die Blumen des Bösen*, hrsg. Friedhelm Kemp und Claude Pichois in Zusammenarbeit mit Wolfgang Drost, Frankfurt am Main 1975.
Friedrich Schulze, *Der deutsche Buchhandel und die geistigen Strömungen der letzten hundert Jahre*, Leipzig 1925.
Reinhard Wittmann, *Geschichte des deutschen Buchhandels*, München ^{2}1999.

Verena Zankl

„Die Sonne scheint / so lang die Sehnsucht weint"
Franz Josef Noflaners Kampf gegen Windmühlen

Josef Noflaner ist ein Original, ein Unikum, ein Künstler durch und durch. Er hat ein umfangreiches bildkünstlerisches Werk hinterlassen, er hat Abertausende von Gedichten und Kurzprosatexten verfasst. Er hat sein Leben in den Dienst der Kunst gestellt – und ist doch kaum jemandem ein Begriff, nicht in seinem Heimatland und auch nicht darüber hinaus. Zu Lebzeiten wurde er übergangen, als Spinner abgetan, als Eigenbrötler, als Sonderling; in nur drei Einzelausstellungen war seine Kunst zu sehen: die erste 1970, und zwei kurz vor seinem Tod 1989, bis ausgewählte Werke dann 2012 in einer zweiteiligen Retrospektive wiedergezeigt wurden. Er hat vier Bücher im Eigenverlag publiziert, die zwanzig Jahre überhaupt nicht wahrgenommen wurden, bevor sie dann in der ein oder anderen Literaturgeschichte Erwähnung fanden; inhaltlich hat sich bis heute niemand an sein literarisches Werk herangewagt.
Das vorliegende Buchprojekt ist alleine schon deshalb ein wichtiges Unterfangen. Denn egal wie man zu seinen Arbeiten stehen mag, Noflaner hat es verdient, nicht vergessen zu werden.

Bereits Ende der 1920er-Jahre hat Noflaner zu schreiben begonnen. Nachdem er sich an einige Werke der Weltliteratur herangewagt hatte, wollte auch er Schriftsteller werden; das Familienerbe musste er dafür ausschlagen. Roland Kristanell, der sich ihm auch in einem Filmporträt angenähert hat, erwähnt in seinem Nachruf, wie Noflaner sich eines Tages hingesetzt und zu schreiben begonnen habe, die Verse seien ihm quasi aus der Hand auf das Blatt Papier gepurzelt (FF Nr. 22, 1989; die genauen Angaben befinden sich allesamt in der Bibliografie in Band II). Beschäftigt man sich mit Noflaners Arbeiten, glaubt man Kristanell das auch. Schnell bekommt man den Eindruck, dass Noflaner manche seiner Gedichte hingeworfen, dass er handwerklich nicht mehr daran weitergearbeitet habe – es hapert hier und da an Rhythmus, an Klang, an einer überzeugenden Form. Aber die Bilderwelt, aus der er schöpft, mutet besonders an: Da steht

Christliches neben Mythischem, Sagenhaftes neben Mystischem – Teufel und Schlangen, Titanen, Nixen und „Fliegende Teller" sind fixer Bestandteil seiner Motivik. Stark sind manche Bilder, eigen-artig ist sein Blick in die Welt, sein Zugang zu den Dingen. Das eine oder andere Gedicht zeigt auch, dass es ihm durchaus nicht an Humor gemangelt hat.

Wenn man sich das Bestandsverzeichnis anschaut (siehe Band II) und die Massen an Texten vor Augen führt aus beinahe sechzig Jahren Dichterleben, dann muss man davon ausgehen, dass Noflaner nicht viel anderes getan hat als zu schreiben wie im Wahn: „Jaja, das geht bei mir wie in einem feuerspeienden Berg, ununterbrochen, und viele gute Gedanken kommen ...", so Noflaner in einem Interview im RAI-Sender Bozen in der Sendereihe „Dichterstimmen aus Tirol" (zit. n. Kristanell 1990, S. 6). Während seine Kunst schon vor ein paar Jahren wiederentdeckt worden ist, handelt es sich bei dem vorliegenden Band um die Erstausgabe seines Werks in einem Verlag, wenn man von ein paar wenigen Abdrucken in zwei Ausgaben der *Arunda* 1976, den *Sturzflügen* 1990 und den Anthologien *Südtirol erzählt* 1979 und *Nachrichten aus Südtirol* 1990 absieht sowie den Gedichtabdrucken in den Porträts von Markus Vallazza in der *Arunda* 1976 sowie von Alma Vallazza in *filadressa* 2001. Wie Markus Klammer ist seinem Nachwort zum vorliegenden Band anführt, befinden sich die hier abgedruckten Texte allesamt in seinem Nachlass, in dem eine große Menge an Sammlungen und zum Teil schon für den Druck in seinem Eigenverlag vorbereiteten Typoskripten ab Ende der 1920er-Jahre bis 1983 aufbewahrt ist – mit längeren Pausen in der Kriegszeit und zwischen 1967 und 1975, in denen er sich vornehmlich der Malerei gewidmet hat.

Noflaner war sein ganzes Leben lang aber kein Erfolg beschieden, in keinerlei Hinsicht: Nachdem er sich bereits Anfang der 1930er-Jahre bemüht hatte, einen Verleger für seine Arbeiten zu finden, und eine Absage nach der anderen bekommen hatte (ein paar dieser Briefe sind in diesem Band abgedruckt), brachte er Gedichte und Kurzprosa im Eigenverlag heraus. Vier Sammlungen sind in den Jahren 1956–1960 erschienen, mit denen er von Haus zu Haus zog, um sie an die Leserinnen und Leser zu bringen, die sich allerdings nicht so leicht finden ließen. Es gab keinen einzigen Rezensenten und bis heute keinen Literaturwissenschaftler, der oder die sich seines Werks angenommen hätte. Wie sehr dieser Misserfolg an Noflaner gezehrt hat, kann man sich vorstellen, vor allem wenn man bedenkt, in welch ärmlichen Verhältnissen er gelebt und wie sehr er sich das Geld für die Publikationen vom Mund abgespart hat. In den Erinnerungen von Markus Vallazza in der *Arunda* 1976 und der *FF* 1987 und dem einfühlsamen Porträt von Alma Vallazza 2001 sowie in Roland Kristanells erwähntem Beitrag in *Sturzflüge* 1990 ist seine Biografie nachgezeichnet. Aber auch in Noflaners literarischem Werk wird dieses Ringen um eine künstlerische Existenz offensichtlich. Ein anfänglicher Schwung und Optimismus weichen dort bald einer Infragestellung seines Talents und schließlich der Erkenntnis, dass er mit der Literatur wohl nicht den Erfolg wird haben können, den er sich so sehr herbeisehnt. Bereits in seinem ersten Band *Gebundene Ähren* 1956 setzt er sich mit dem Schreiben und dem Literaturbetrieb auseinander, mit dem er sich bereits einige Zeit lang beschäftigt haben wird, liegen doch seine zahlreichen Versuche, einen Verlag zu finden, schon über zwanzig Jahre zurück. Folgender Text – überschrieben mit *Gedruckter Brief* – ist dem erwähnten Band hintangestellt. Er mutet etwas widersprüchlich und geheimnisvoll an.

> Übersende Ihnen anbei die restlichen Blätter zu meinem ersten und Sechsundneunzigseitenbuch. Und ich hoffe, daß es nun genügen wird, um den geplanten Umfang zu erreichen. Über die Frage des Inhaltes aber wollen wir uns nicht streiten, da weder Sie, noch ich … da das Unglück nun doch geschehen ist, daran ein näheres Interesse haben können.
> Gewiß, mögen sich alle an der kleinen Auflage der Fünfhundert Käufer und Leser, Begeisterte und Laxe die Hörner abstoßen! Der Schriftsteller hat sich selber seine Wunden geschlagen; der Verleger hat seine kleineren und größeren Opfer gebracht; der Setzer hat sich dabei die Augen krumm und quer geschaut. Befehlsgewalten und Hörige im Tun und Denken haben ihres dienstlichen und richterlichen Amtes gewaltet. Und was bleibt Ihnen und mir nun übrig, als der Druckerei das entscheidende Wort zu erteilen? Lange genug habe ich auf diesen Schritt warten müssen als Geschundener unter den Schindern.
> Die restliche Forderung an Geld werde ich Ihnen dann zukommen lassen, sobald die Kastanien auf dem Mars wieder einmal reif sind. Eher geht es nicht, denn ein Falschmünzer bin ich nicht, weder im Mammon, noch in der Dichtkunst … Und lassen Sie mir die ge-

druckten Brote zukommen sobald sie gebacken sind. Wenn möglich, lassen Sie den Monat Juni inzwischen nicht sein volles Alter erreichen.
Auch bitte ich noch einmal um die famose Seite 33 für den Bürstenabzug, den Sie mir neulich zu überlassen die Güte hatten. Und vergessen Sie nicht das Inhaltsverzeichnis auf die Seiten 3 und 4 zu setzen. Verknittertes und Verdrucktes werden Sie ja doch ausscheiden lassen – oder arbeiten Ihre Maschinen vielleicht fehlerlos?
Mit gedruckter Hochachtung Ihr
Franz Noflaner.

Dem Titelblatt des Bandes entnehmen wir, dass es sich bei Noflaner um den „Verfasser und Herausgeber" handelt. Dass er zugleich auch der – hier erwähnte – Verleger ist, geht aus der fehlenden Verlagsangabe hervor. Adressat des Briefes ist die Druckerei „Athesia, Bozen", wie aus einem Stempel auf der vorletzten Seite des Buches offensichtlich wird; gleichzeitig wird die Druckerei aber wiederum als Dritter im Text genannt. Ob der Brief tatsächlich abgeschickt worden oder Athesia gleichzeitig mit den restlichen Seiten für den Druck zugekommen ist, lässt sich nicht mehr sagen: Der Titel *Gedruckter Brief* und die Grußformel „Mit gedruckter Hochachtung" sowie die Tatsache, dass der Brief auch im Inhaltsverzeichnis angeführt ist, sprechen dafür, dass es sich um ein literarisches Werk handelt, gleichzeitig enthält der Brief aber auch Anweisungen, die sich auf die Drucklegung ebendieses Werkes beziehen: Noflaner reagiert darin offenbar auf den Hinweis des Adressaten, dass noch ein paar mehr Texte Platz hätten, um sechs Bögen vollzumachen (6 x 16 Seiten ergeben das erwähnte „Sechsundneunzigseitenbuch"), er erinnert an den Abdruck des Inhaltsverzeichnisses und bittet „noch einmal um die famose Seite 33", ein Gedicht mit dem Titel *An das Atom*.
Herauszulesen ist dem Text so einiges: Es wird eine gewisse Verbissenheit und Arroganz offensichtlich, die Noflaners gesamtes Werk durchziehen, er durchbricht sie allerdings zugleich ironisch, indem er diesen Brief in dem Band abdrucken lässt. Der Autor tritt damit aus seinem eigenen Werk heraus und zeigt uns mit diesem Kniff unmittelbar seine komische Seite. Zugleich erfährt man, dass es Noflaner in seinen Texten in großem Maße auch immer um sich selbst geht bzw. um die geschundene Seele eines Künstlers, dem seit so langer Zeit keine Aufmerksamkeit zuteilwurde.

In *Aussöhnung mit meinen Abnehmern* (S. 21) nimmt er mit den Leserinnen und Lesern Verbindung auf:

> Sich und andere zu beobachten,
> das macht noch nicht den Dichter.
> Den Dichter machen die Leser,
> wenn sie seine Bücher kaufen.
>
> Ein logischer Standpunkt,
> werdet Ihr sagen.
> Und doch: so logisch ist er nicht,
> daß er schon anzunehmen wäre
> fest und steif.
>
> Ich gebe mir ja auch
> alle erdenkli[c]he Mühe,
> um einmal heraus
> aus der Enge des Hauses zu treten –
> und Anklang zu finden
> bei reich und arm. […]

Auch in *Zuneigung* (S. 41) tritt er mit den Leserinnen und Lesern in Kontakt:

> Behalten Sie dieses Buch,
> leihen Sie es nicht her;
> und lassen Sie in Ihrer Bibliothek
> es nie aus den Augen.
> Ich habe es mit meinem eigenen
> Tode geschrieben!
>
> Es läuten die Glocken
> und heim kehren die Tauben
> der verblichnen Hoffnung
> in die Höhlen des Staubes,
> aus dem der Mensch gekommen war
> auf der ziellosen Suche
> nach strahlenden Siegen.

Der Unverbesserliche (S. 43) zeigt, dass Noflaner nicht mit Kritik an den Verlagen spart, die ihm allesamt eine Publikation verwehrt haben:

> […] Ich bemühe mich spitzbübisch
> um einen besseren Ruf,
> als Lektoren und Tippfräuleins
> in den Büros der Herren Verleger,
> von Köln bis Salzburg
> und von München bis Bozen mir
> niederschmetternd angekreidet haben.
>
> Rowohlt war mir zu weit,
> Mondadori zu fremd
> und die übrigen Poetenfresser
> gaben mir selbstherrlich den Laufpaß,
> ehe ich wußte, daß ich schon draußen lag. […]
>
> Amen.

In weiteren Texten in diesem Band setzt er sich mit dem Beruf des Schriftstellers und mit Erfolg und Misserfolg auseinander – wie zum Beispiel in *Folgen einer Neurose* (S. 55), *Beklemmender Wink* (S. 57) oder *Modernes Griechenland* (S. 61).
Nach Vorankündigung in *Gebundene Ähren* (S. 96) erscheint 1957 der zweite Band *Kristall und Sonnenlicht* ebenfalls im Eigenverlag: Wie in seinem Vorgängerband ist darin Lyrik gemischt mit dem einen oder anderen kürzeren Prosatext enthalten. Noflaner konnte sich dieses Mal acht Bögen (128 Seiten) leisten, auf dem Schmutztitel hat er dem „Verfasser und Herausgeber" Noflaner noch den Heimatort „Gröden" hinzugefügt sowie einen Untertitel ergänzt: „Gemischte Dichtungen".
Dem Band ist das Gedicht *Aufklärung* vorangestellt, in dem Noflaner die Enttäuschung des ersten Bandes hoffnungsfroh beiseiteschiebt (S. [4]):

> […] Das erstemal hats nicht geschlagen –
> nun soll der zweite Band nur blitzen,
> den Leuten in den Haaren sitzen;
> und wenn es not tut auf dem Magen. […]

Gleichzeitig befindet sich dort eine *Empfehlung, Vorwort und Einleitung des Verfassers, zu einem Buch, das schon herausgekommen ist*, in dem Noflaner sich mit Goethe, Hauptmann, Hesse und Thomas Mann vergleicht und befindet, dass auch er es verdient habe, gelesen zu werden:

> Hinter diesen Gedichten verbirgt sich eine mitteleuropäische Tragödie, die sich auf die unwahrscheinlichste Weise vollendet hat. Und es wäre daher tatsächlich an der Zeit, daß sich ein rühriger, kurzum irgendein tätiger Verlag der Sache annähme, bevor das Tun und Treiben der gesamtdeutschen Verlegerschaft und kritischen Literaturpolitik wieder – wie zu den Zeiten des Nationalsozialismus [!] – in den geschichtlichen Schuldbegriffen hinübergreift. [...] Vielmehr möchte ich es nur mit ungebrochenem Nacken und ganzen Rippen bekräftigt und gesagt haben, daß es dem modernen und eigenwilligen Schriftsteller geboten und erlaubt sein muß, aus seinem eigensten inneren Erleben und Empfinden zu schöpfen und wirken – und demgemäß auch aus eigenen menschlichen Beweggründen heraus im poetischen Sinne des Wortes „dichterisch" zu handeln. (S. [5])

Auch hier bleiben ein gewisser Hochmut und zugleich eine anfängliche Verzweiflung nicht verborgen. Diese Ambivalenz zieht sich durch den gesamten Band. Im *Glaubensbekenntnis* bekräftigt Noflaner: „Ich glaube! / An Schund und Kitsch" (S. 30) und räumt in dem Gedicht *Ägyptisches Mahnmal* ein: „Mir fehlt Genie" (S. 7). In *10 Gebote für den Dichter* gibt er Empfehlungen, wie man mit Fehlschlägen umzugehen habe: „3. Merke Dir, dass Dein Erfolg nur von Dir selbst – / und sonst von niemanden, auch nicht den besten Sterblichen, abhängt." (S. 93) Im Gedicht *Totes und lebendiges Buch* kommt dann wieder Hoffnung auf, es verweist auf die Einleitung (S. 110):

> Wie ein Phönix aus der Asche
> steigt das zweite Buch empor:
> Daß ich nach dem Schatten hasche,
> den der erste Sieg verlor.
>
> Unglück, Irrtum und Begraben
> haben meinen Gott verkannt! [...]

Im dritten Band werden die Überschwänglichkeit und Überheblichkeit schließlich zunehmend von den Tatsachen verdrängt.
Statt dem in *Kristall und Sonnenlicht* für 1958 angekündigten nächsten Band aus der „Lyrischen Reihe" – *Engel im Sonnenwind*, der auch nicht im Nachlass verzeichnet ist – erscheint im Jahr darauf: *Antennen wie Schwingungen*, ein 64 Seiten umfassendes kleinformatiges broschiertes Buch. Auf dem Schmutztitel wird nur mehr „Franz Jos. Noflaner" angeführt, ohne nähere Bezeichnung. Auch inhaltlich nimmt er sich zurück (S. 16):

Entschuldigung!

Was Gott gefällt
hat seine Erdentage.
Trug spinnt die Welt
und Heiligkeit die Plage.

Die Katze schnellt
vom Dach in schiefer Lage.
Doch Fido bellt
bei Nacht gleich wie am Tage.

Will mein Sonett
Euch gar nicht leicht gefallen –
dies ist kein Duett

von Sturm und Kinderlallen.
Doch ein Gedicht
Voll Wahn und Zuversicht.

In *Spärliches Gelingen* ist eine nicht nur leise Melancholie spürbar, wenn Noflaner festhält (S. 6):

[…] Ich war ein Kind
und staunte durch den Wind;
und lief ins Gras
zu meiner Füße Spaß.

Das ist nicht mehr!
Es ist schon lange her:

> Ein erst Gedicht
> erblickte sein Gesicht
>
> im Spiegel Zeit;
> und sah Vergänglichkeit –
> und sann auf Ruhm
> im Lorbeerheiligtum.
>
> Dahin! Verweht!
> Der Fluch wie das Gebet.
> Das Glück ein Schall –
> Und ohne Ziel das All. [...]

In *Groteske* schließlich kündigt er das Unvermeidliche an (22):

> [...] Und es ist sein trauriges Schicksal,
> daß er in Bälde und Kürze überhaupt
> von der prosaischen Bildfläche
> beinahe spurlos verschwindet. [...]

Und so erscheint mit *Die gefräßige Straße* (1960) Noflaners vierter und letzter Band, dieses Mal wieder in einer aufwändigeren Ausstattung und mit den Zusätzen „Verfasser und Herausgeber Franz Jos. Noflaner, Gröden" sowie dem Untertitel „Einfaches, verzwicktes und vertraktes Schrifttum", 128 Seiten. Erstmals wird ein Verlag angeführt – Zyklus –, aber auch hier handelt es sich um ein Buch in Eigenregie. Das lyrische Ich tritt als der Dichter auf, der sich seinen Misserfolg eingesteht, wie in *Das Unabwendbare* (S. 9):

> [...] Ach, wir Hanswürste!
> Träumen Erob'rer zu sein,
> bleiben Vasallen
> jeder verkommenen Zeit. [...]

In der Erzählung *Wolken des Abschieds* nennt er die Verleger „Selbstmordfabrikanten", und im Prosatext *Aus der Werkstätte* bäumt Noflaner sich wiederum verzweifelt auf: „Die Dichtung des Dichters ist Dichtung". Eine gewisse Resignation ist auch in *Kleiner Abstecher* offensichtlich (S. 33f):

Es fehlt nicht an Papier
fehlt nicht am guten Willen;
fehlt nicht an stillen Stimmen
der träumenden Natur.

Doch fehlt es an der Größe,
die Sein und Welt umspannt!
An Beifall fehlt's und Lob
an Förderung und Gönnern. […]

Unselige Geschichte,
mit der ich nimmer fertig
zu werden scheine, Sakra!
Ich kann es gar nicht glauben.

Wie man ein Gimpel sein
zu seinem Schaden kann!
Wie sich in Illusionen
vernarren: sich zum Ekel!

Wie an die große Glocke
die kleine Freiheit hängen,
von der man gar nichts hat …
als daß man sie vermutet.

In zahlreichen weiteren Gedichten kommt das lyrische Ich einer „geschändeten" Dichterseele zu Wort: in *Sterbende Sommerwolke* (S. 47), *Gereiftes Wesen* (S. 51f), *Heuriger Zauber* (S. 54) oder *Später Feierabend* (S. 83), und schließlich auch in Prosatexten wie *Sprichwort*: „Halte dich an das Mögliche; mit dem Unmöglichen aber gehe keinen dauernden Bund ein. Niemand bürgt dem Strebsamen für die Erreichung seines Zieles als die Wirklichkeit. Alle himmelblaue Romantik ist vor den realen Dingen und taktischen Stücken fehl am Platze" (S. 43), in *Vom Gottseibeiuns* (S. 20–22): „der Einzelne wäre oft besser daran, mehr der Demut zu dienen, als sich vom Teufel des Hochmuts beherrschen zu lassen" (S. 22) oder in *Welt des Uferlosen* (S. 22–24): „Genie zu spielen ist gefährlich: Es schaut dabei ja doch nicht viel heraus. Von irgendeinem blauen Wunder im Kreise der Zeitgenossen schon gar nicht zu reden. Und man muß als Autodidakt zufrieden sein, wenn einen die blutdürstige Zeit nicht bei der Gurgel packt." (S. 22f)

Auch dieser letzte Band bleibt unbeachtet. Noflaner wird keinen weiteren mehr veröffentlichen. Die Rezeption auch in den nächsten Jahren und Jahrzehnten bleibt bescheiden, im Zettelkatalog des Museums Ferdinandeum in Innsbruck – das sicher unentbehrlichste Recherche-Instrument für Tiroler Literatur – befindet sich eine Hand voll Erwähnungen in Zeitungen und Zeitschriften: ein Hinweis auch darauf, wie wenig öffentliche Auftritte Noflaner absolviert hat, handelt es sich dabei doch auch um Besprechungen von Veranstaltungen. Nachdem er im August 1967 im Zuge einer Kollektivausstellung von Grödner Künstlern in der Mostra d'ert in St. Ulrich mit einer Prämie ausgezeichnet worden war – er hatte sich in der Zwischenzeit vorerst hauptsächlich der Malerei verschrieben (Dolomiten, 12. 8. 1967) –, wurde man im Zuge seiner ersten Einzelausstellung 1970 – zehn Jahre nach Erscheinen des letzten (!) Bandes – erstmals auch auf Noflaner als Schriftsteller aufmerksam, weil dort seine Gedichtbände aufgelegt waren: „Obwohl er schon seit Jahren zeichnet und dichtet, und zwar mit einer Passion und einer Ausdauer, wie sie nur ein unerschütterlicher Glaube aufrechtzuerhalten vermag […], nahm bis heute kaum jemand von den künstlerischen Ausbrüchen Notiz, die sich dieser Gefangene seiner labyrinthischen Seele in unermüdlichem Kampf um die Freiheit abringt" (Dolomiten, 7. 8. 1970). Zu diesem Zeitpunkt war Noflaner bereits 65 Jahre alt.

Während es um seine Malerei dann auch gleich wieder still wurde – die nächste Ausstellung wird erst zwanzig Jahre später, kurz vor seinem Tod, stattfinden –, hat Noflaner 1975 seinen ersten öffentlichen Auftritt als Autor: bei einer vom Kreis für Literatur im Südtiroler Künstlerbund am 9. September am Grieserhof in St. Peter im Ahrntal organisierten Autorenbegegnung (Kulturberichte Nr. 253/254, 1977, S. 22). In den Südtiroler Künstlerbund aufgenommen wurde er nie – seine Ansuchen 1967 sowohl als Schriftsteller als auch als Maler wurden abgelehnt. Der zweite Auftritt – eine ebenfalls vom Künstlerbund organisierte Lesung am 25. November 1976 im Waltherhaus in Bozen (Kulturberichte, S. 23) – ist zugleich die letzte öffentliche Lesung; Georg Mair erinnert sich in einem Kurzporträt zudem an eine Begegnung an seiner Schule: „Ins Johanneum nach Dorf Tirol, ins bischöfliche Knabenseminar, brachte ihn der Literaturpfarrer Alfred Gruber. Er setzte ihn uns vor, einer Horde von ‚Knaben' von geringem Verstand und dem Willen zu provozieren. So jedenfalls sehe ich

es in meiner verblassten Erinnerung – es muss in der zweiten Hälfte der 1970er-Jahre gewesen." (FF Nr. 36, 2012)
Ende der 1970er-Jahre wird man dann auch in literaturwissenschaftlichen Kreisen auf Noflaner aufmerksam, doch wird es auch hier nur bei Erwähnungen bleiben. Am ausführlichsten setzt sich Paul Wimmer 1978 in seinem *Wegweiser durch die Literatur Tirols seit 1945* auseinander (S. 212–214). Er bezeichnet ihn als „eine[n] der subjektivsten Autoren Südtirols", er sei „ein Arbeitsbauer mit Volksschulbildung, den ein geradezu dämonischer Grundtrieb zur dichterischen Aussage und literarischen Auseinandersetzung zwingt. […] In seltener Nachbarschaft stehen Demut und Lauterkeit neben konfuser Selbstüberschätzung und Überheblichkeit […], genialische Einfälle und Wendungen stehen neben Unausgegorenem, Flachem, Unverwandeltem. […] Man wird ihm nicht in allem zustimmen können, manches beiseiteschieben. Aber den seelischen Erschütterungen, die hier die Bilder prägen, dem Ernst der Wahrheitssuche, der diesen einsamen dichterischen Menschen zeichnet, kann man sich nicht verschließen" (S. 212–214). Sigurd Paul Scheichl hebt in seiner sehr kritischen Rezension zu Wimmers Werk im *Schlern* 1983 (S. 517–532) hervor: „Am ehesten ist der auch von Wimmer als ‚mystisch inspiriert' (213) bezeichnete Franz Josef Noflaner […] zu nennen, dessen originelle Verarbeitung von Formen und Ideen der klassischen Epoche bei aller Subjektivität und bei allem Außenseitertum doch ernstgenommen werden müssen. Doch wäre es in einer Darstellung der neueren Südtiroler Literatur wahrscheinlich sinnvoller, Noflaner – bei allen Rangunterschieden – neben Tumler, Rosendorfer, Kühnelt u. a. unter den keiner im Lande ausgeprägten Strömung zuzuordnenden Einzelgängern abzuhandeln." (S. 531)
Nach seinem Tod wird Noflaner dann noch in drei Darstellungen zur Südtiroler Literatur genannt: In Hans-Georg Grünings Standardwerk *Die zeitgenössische Literatur Südtirols. Probleme, Profile, Texte* (1992) wird ihm eine „Außenseiterrolle" zugestanden, der „eine poetische Kraft verrät, die in seiner wesentlichen, ungekünstelten doch auch formbewußten Sprache und im Einfallsreichtum seiner Ideen, die nicht nur die elementaren Existenzprobleme des Menschen zwischen Leben und Schicksal und Tod, sondern auch seine Einbindung in die Problematik der modernen, auch politischen Umwelt behandeln, über das Klischee hinausgeht und den Reiz des Seltsamen, Skurrilen

mit verstehender Klugheit mischt" (S. 71f). Auch Alfred Gruber erwähnt Noflaner in der knapp 40 Seiten umfassenden „Einführung" zu der Anthologie *Nachrichten aus Südtirol. Deutschsprachige Literatur in Italien* (1990) in nur einem Satz: „Eine Sonderrolle spielte Franz Josef Noflaner, der teilweise ein recht kritisches Verhältnis zur Sprache, aber auch zu den dargestellten Stoffen hat. Nicht das Gefühl steht im Vordergrund, sondern die nüchterne, verstandesgemäße Betrachtung, freilich nicht frei von vielfältigen intuitiven Einbrüchen". (S. 11)

Markus Vallazza bezeichnete Noflaner in seinem *Arunda*-Porträt als „Ritter von der traurigen Gestalt" (S. 40), als jemanden, der aber niemals aufgebe, der in jedem Fall ein Dichter und ein Künstler sei – unabhängig von Erfolg oder Misserfolg.
Die in dieser Werkausgabe abgedruckten Texte aus dem Nachlass zeigen die Begabung Noflaners, und zwar deutlicher als die vier zwischen 1956 und 1960 erschienenen Bände. Sei es weil Noflaner sich weiterentwickelt hat, sei es weil er selbst kein gutes Händchen bei der Auswahl gehabt hatte. Man kann spekulieren, ob ein Mentor ihm nicht auch zu Lebzeiten gut getan hätte, ihm zumindest den ein oder anderen Erfolg hätte bescheren können.
In jedem Fall handelt es sich hier um eine gelungene Zusammenstellung, die ihm zumindest dreißig Jahre nach seinem Tod eine verdiente Anerkennung verschafft. Dass Noflaner diese späte Ehre einer Werkausgabe zuteilwurde, hat er in jedem Fall seinem unermüdlichen Einsatz zu verdanken. Dass er die Hoffnung auf Erfolg niemals aufgegeben hat, zeigt nicht nur sein beharrliches Schreiben, sondern auch das folgende Gedicht aus *Antennen wie Schwingungen* (S. 38):

Lied der Schönheit

Laß Blätter fahren
wenn der Herbst sie bricht.
Aus lichten Scharen
flattert das Gedicht.

Man muß das Leben
als ein Spiel verstehn;
und ihm nich[t] eben
aus dem Wege gehen.

Der Druck der Schmerzen
ist auch bald vorbei;
daß deinem Herzen
froh Genesung sei.

Was sich als Schatten
deiner Seele gibt
ist ein Ermatten
das den Gott nicht liebt.

Das stille Wesen
staunt oft in die Flut
von allen Größen
die im Nichts geruht.

Soll sich dein Leiden
wandeln zum Genuß
mußt du bescheiden
dich bei Wink und Kuß.

Planeten rasen
durch die Harmonie
der Raumekstasen!
Leben zeugen sie.

Es gibt der Tode,
gibt der Träume Not!
Doch meine Ode
glaubt ein Morgenrot.

Verzeichnis der Texte mit Quellennachweis

Der Textauswahl in diesem Band liegen die angeführten 21 Typoskripte aus dem Nachlassbestand zugrunde. Die neben dem Titel der Texte angeführte Signatur mit Angabe des Typoskripts und der entsprechenden Seitenzahl benennt ihre jeweilige Fundstelle im Nachlass. Der Buchstabe bezeichnet das Typoskript, die Zahl die Seite in demselben.

Verzeichnis der Typoskripte

A Die *Briefe* [an Personen, Verlage, Firmen] 1931-1932 sowie *Verstreute Texte* [Fliegende Teller u.a.] befinden sich in „Karton 1" des Nachlasses; ebenso die Sammlung der *Postkarten*;
B *Lieder im Monsun.* Lyrik und Kurzprosa Zyklus Verlag Gröden 1960;
C *Die kleinen Tyrannen.* Zyklus Verlag Gröden 1960;
D *Empfundene Saat. (Lösungen 1961).* Zyklus Verlag Gröden 1961;
E *Spuk und Raum. (Über die lyrische Weltseele).* Zyklus Verlag Gröden 1961 [Typoskript im Besitz von Bernhard von Mörl, Brixen];
F *Sinnbilder des Guten. Ein moderner literarischer Versuch.* Zyklus Verlag Gröden 1961;
G *Die gläserne Brücke. (Lyrik und Erzählungen).* Zyklus Verlag Gröden 1963;
H *Dichtung des Herzens. (Ein lyrischer Anfang). Mit acht Illustrationen des Autors.* Zyklus Verlag Gröden 1964;
I *Geburt der Titanen. (Versuch einer letzten Ergänzung).* Zyklus Verlag Gröden 1964;
J *Phönix ohne Schatten. (Winkelzüge der Empfindung).* Zyklus Verlag Gröden 1965;
K *Zu mächtiger Lohe. (Bilder und Ahnungen der Gegenwart). Mit 20 Illustrationen des Autors.* Zyklus Verlag Gröden 1965;
L *Auf flüchtiger Fährte. (Mit 16 Illustrationen des Autors).* Zyklus Verlag Gröden 1967;
M *Der steinerne Tisch. (Mit 10 Vignetten des Autors).* Zyklus Verlag Gröden 1967;
N *Schwingen ohne Zauberblick. (Mit 12 Illustrationen des Autors).* Zyklus Verlag Gröden 1967;
O *Wiegen der Begeisterung. (Poetisches Flügelstück).* Zyklus Verlag Gröden 1967;
P *Gesammelte Blätter* 1975 bis 1977;
Q *Sieben Mühlen.* [= Titel des ersten Gedichts] 1975;
R *Türklopfer.* [= Titel des ersten Gedichts] 1975;
S *Ausleger.* [= Titel des ersten Gedichts] 1977;
T *Sprache für sich.* [= Titel des ersten Gedichts]1978;
U *Übergang.* [= Titel des ersten Gedichts] 1978 und 1979.

Verzeichnis der Texte mit Quellenangabe

                                                               Seite

Spruch	B2	12
Heiligkeit der Unrast	B13	13
Von Stufe zu Stufe	B14	15
Unerreichbare Zinnen	B24	16
Äußerstes Leid	B29	17
Seen der Vergessenheit	B49	18
Letzte Dinge am Horizont	B59	19
Kampf ums Dasein	B66	20
Kreuzotter	C6	21
Männliche Begegnung	C8	22
Der Delphin	C10	23
Trockener Kaktus	C21	24
Würdiger Triumph	C31	24
Beweise	C28	25
Weggeworfener Pinsel	C33	26
Wahrheit des Menschenkindes	C48	27
Lob der Sichtbarkeit	C60	28
Ein Maler sein	C88	29
Die Zeche	C111/112	30
Zuerst war das Lied	C115	32
Chaos und Melodie	C114	34
Fernweh	C115	35
Das leuchtende Bild	C115	37
Verblendetes Bild	C115	37
Unblutiger Streit	D4	38
Lord Cumberland	D15	39
Erkanntes Erleben	D6	40
Ausgeglichener Schwank	D29	41
Körbe den Wolken	D18	42
Gewohnte Methode	D184	43
Sonett der Spätzeit	D186	44
Aufgestörtes Lüftchen	D204	45
Sonett eines schwierigen Tages	D211	46
Politisches Sonett	D222	47
Der kleine Jammer	D192	47
Heimkehr des Lichtes	E64	49
Natürliche Aufgeblasenheit	D243	50
Reigen der Lüfte	E12	50
Versagte Seligkeit	E33	51
Heimkehr	E13	52
Beziehungen zur Mitwelt	H16	53
Ebbe und Flut	H65	55
Gezacktes Sonett	E49	56
Erlahmende Schwingen	E68	57
Schwellende Frucht	E95	57
Devise	E99	58
Schatten der Wahrheit	E132	58

Spuk und Raum	E138	59
Doppelter Besitz	E163	60
Sieg des Morgen	E173	61
Novemberschmerz	E176	62
Autonomie zu Handen des Landes Tirol	E176	63
Autonomie zu Handen einer modernen Zeit	E183	63
Untröstliches Gefühl	C133	65
Demütigung	C148	66
Ethische Haltung	C154	67
Silhouetten	E101	68
Wesentlicher Schritt	C175	70
Novelle und Lyrik	R14	71
Das zerrissene Sonett	C103/104	72
Zögerndes Verhalten	E156	75
Sterbender Tonfall	F11	76
Satyrische Linie	F34	77
Im Taumel der Zeichen	F14	78
An ein Gespenst	F49	79
Das Lied	F94	80
Im Wandel der Form	F114	81
Danielas Heimkehr	F143	82
Der kleine Heuschrecken	F144	83
Totes Holz	G14	84
Stilles Heldentum	G19	85
Stilleben	G48	86
Verlorenes Paradies	G64	86
Novelle der Saison	G65	87
Figuren des All	G70	88
Betrachtung und Kultur	G123	89
Uhr ohne Zeiger	G127	90
Für Amelie	G178	91
Verpfuschtes Leben	G176	91
Komponente	G240	92
Auf sich gestellt	H6	93
Auf schnellem Pferd	H10	94
Erschütterndes Lied	H11	94
Poetische Fuchsien	H26	96
Traurige Wahrheit	H34	97
bare Münze	H41	98
Um nichts und viel	H44	99
Unerträgliches Schlamassel	H59	100
Verdrängte Verneinung	I17	101
Eine glänzende Idee	I42	101
Am anderen Ende der Bettstelle	I56	102
Mit anderen Worten	I74	102
Meter um Meter	I114	103
Glossen zu einem Prozeß	I117	104
Leitgedanke	I212	105
Erlösung eines Tieres	I147	105
Sprache und Ruhm	I122	106
Verlassener Weltmensch	I126	106
Schicksal	I137	107
Brimborium	I185	108
Poesie	I144	108
Launen der Sprachgewalt	I138	109

Der Streich	I156	110
Ideogramme	I207	111
Gedicht für Flor	I298	112
Noch eins für Markus	I298/299	113
Eindruck und Ausdruck	I284	114
Gefundene Sprache	I306	114
Stückwerk des Glücks	I305	115
Wasserspiegel in Not	J2	116
Ausgelassene Welt	I302	117
Kassandra am Tor	I358	118
Legende im Sommer	K72	119
Disteln der Ewigkeit	K90	119
Zu guter Letzt	K16	120
Kurze Hilfe	K72	120
Stimme der Warnung	L66	121
Kampf ums Dasein	L4	122
Geschichte des Big	L31	123
Unter Dingen und Tieren	L33	124
Bewegte Gegend	L47	125
Die volle Wahrheit	L21	126
Seele und Missbrauch	L68	127
Ansprechender Ort	L69	128
Kalendarisches	L88	129
Beinahe Gänsehaut	L105	130
Wie Wolken und Nebel	L128	131
Zug zu einem Kapitel	C90	133
Blick in die Gegenwart	C92	133
Verwischte Heftigkeit	C172	135
Ein gewisses Kriterium	C183	136
Türme der Einbildung	F126	136
Heimliche Freundin	C92	137
Vom Häuschen am See	D131	138
Falsches Glück	D177	140
Der Spieler	I34	140
Erwähnung getan	F139	141
Stimme eines Leseabends	U295	141
Prophetischer Zug	G17	142
Kümmerliche Reste	I105	142
Im Aufstande der Literaten	C15	143
Von Zug zu Zug	C62	144
Pfade der Seelen	M7	145
Der Dreinreder	C45	145
Willige Bereitschaft	C128	146
Europäischer Zopf	F174	147
Ein gewisser Herr Styl	I186	148
Kurzatmiges	P25	149
Verehrte Leser	L59	151
Der Betroffene	M48	152
Begegnung mit einer Zwergin	N55	153
Ein trüber Novemberabend	M75	154
Nummer eins	M7	155
Tragödie einer Jugend	M3	155
Einige Schritte	M12	156
Geistige Teuerung	M47	157
Fahrende Wolken	M42	157

Eigene Art	M89	158
Getrübtes Ich	M94	158
Umkehr	M84	159
Magische Stimmung	N7	161
Von fernen Lichtern	N9	162
Gewonnener Inhalt	N22	163
Gar kaltes Blut	N24	163
Ein Seelenleiden	N25	164
Besinnlicher Wald	N26	165
Nadelspitze Kirchturm	N26	165
Für Tierliebhaber	N30	166
Zum Beispiel	N28	168
Schall und Fall	N31	169
Tierbild	N33	170
Lilo	N60	171
Lyrische Tangenten	N64	172
Geschichte in Strophen	O28	173
Zoll um Zoll	O64	174
Besiegtes Leid	O76	175
Der Aufgeregte	O101	176
Strittiges	P10	176
Stimme der praktischen Vernunft	O98	177
Endzweck	P8	179
Wesen und All	O62	180
Analyse	Q42	180
Die Welt und Du	R27	181
Schmerzliche Erinnerung	O104	182
Der wirkliche Gott	P16	183
Nicht Luft, nicht Wind	P126	184
Pragmatik	P133	185
Hymnus	P164	186
Die Kauernde	P165	187
Ablass	P186	188
Kein Morgenrot	P26	188
Erdkugel	Q16	190
Ja und Nein	P138	191
Ezra Pound	Q110	192
Nähe des Buches	R12	193
Doppelter Esel	R71	195
Die Kochmaschine	R74	196
Mittelmaß	R157	197
Evolution	R158	198
Ende dem Chaos	S82	199
Kosmos	T105	199
Fabelei	Q66	200
Melancholische Platte	U112	200
Exemplar	U108	201
Bei Wolf und Rind	S7	202
Dämonischer Fluss	S110	203
Auch ein Schuß	U360	204
Briefe	A	207
Fliegende Teller in der Statik	A	215
Fliegende Teller in der Ekliptik	A	215
Über die fliegenden Teller	A	215
Postkarten	A	216

Bibliografie

Bücher
Gebundene Ähren. Prosa und Lyrik. Athesia Bozen 1956.
Kristall und Sonnenlicht. Gemischte Dichtungen. Athesia Bozen 1957.
Antennen wie Schwingungen. Athesia Bozen 1959.
Die gefräßige Straße. Einfaches, verzwicktes und vertracktes Schrifttum. Zyklus Verlag Gröden 1960.

Beiträge
Chronisches Übel. In: „Arunda. Südtiroler Kulturzeitschrift. Menschenkinder", Heft Nr. 1, Schlanders 1976, S. 44.
Bruno Vallazza. In: „Arunda. Südtiroler Kulturzeitschrift. Zerstörung", Heft Nr. 2, Schlanders 1976, S. 63 f.
Betrachtungen [Prosa]. In: Dorothea Merl/Anita v. Lippe (Hrsg.), *Südtirol erzählt. Luftjuwelen – Steingeröll.* Tübingen, Basel 1979, S. 254–256.
Arabische Legende [Prosa]. In: Alfred Gruber (Hrsg.), *Nachrichten aus Südtirol. Deutschsprachige Literatur in Italien.* Hildesheim, Zürich, New York 1990 (Ausländische Literatur der Gegenwart 4, hrsg. von Alexander Ritter), S. 217–220.
Aussöhnung mit meinen Abnehmern; *Der Unverbesserliche*; *Widmung*; *Floskel*; *Kurze Post*; *Dem Glück ins Ohr*; *Mutter* [Lyrik], in: „Sturzflüge. Eine Kulturzeitschrift", Nr. 31, 9 Jahrgang, Bozen 1990, S. 8–10.

Über Franz Josef Noflaner
Kollektivausstellung in der „Mostra d'Ert". Grödner Künstler zeigen in St. Ulrich ihre Werke. In: Tageszeitung „Dolomiten" vom 12.08.1967, Bozen, S. 13.
Franz Noflaner, Autodidatta alla sua prima Personale. In: Tageszeitung „L'Adige" vom 06.08.1970, Trient, S. 34.
Elisabeth Scherer, *Ein Urbild des Kreatürlichen.* In: Tageszeitung „Dolomiten" vom 07.08.1970, Bozen, S. 7.
Manuel Gasser, *Markus Vallazza.* [mit einem Porträt von Franz Josef Noflaner, 1965, Kohle und Aquarell] In: Zeitschrift „du", Heft 3, Zürich 1974, S. 35.
Markus Vallazza, *Franz Josef Noflaner.* In: „Arunda. Südtiroler Kulturzeitschrift. Menschenkinder", Heft 1, Schlanders 1976, S. 39–44.
Alfred Gruber, *Der Kreis für Literatur im Südtiroler Künstlerbund.*

In: „Kulturberichte aus Tirol", Nr. 253/254, 31. Jahrgang, Innsbruck 1977, S. 23.
Paul Wimmer, *Wegweiser durch die Literatur Tirols seit 1945.* Darmstadt 1978, S. 212–214.
Interview mit Franz Josef Noflaner in der Sendereihe „Dichterstimmen aus Tirol", Rai-Sender Bozen, 1981.
Markus Schenk, *Franz Noflaner tla sala Mostra d'ert a Urtijei.* In: „La Usc di Ladins" vom 01.09.1981, St. Ulrich/Gröden, S. 13.
Eva Kreuzer-Eccel, *Aufbruch, Malerei und Graphik in Nord-Ost-Südtirol nach 1945.* Bozen 1982, S. 152f.
Sigurd Paul Scheichl, *Probleme einer tirolischen Literaturgeschichte der jüngsten Zeit.* In: „Der Schlern", Heft 10, Bozen 1983, S. 531.
Markus Vallazza, *Wer ist Franz Noflaner?* In: „FF – Südtiroler Illustrierte", Nr. 33, Bozen 1987, S. 52–54.
Verena Pitschieler, *Franz Josef Noflaner una vita dedicata ai colori.* In: Tageszeitung „Alto Adige" vom 27.08.1987, Bozen, S. 17.
Gottlieb Pomella, *Meine Bilder reden von selbst und verkaufen tu ich sie nicht.* In: Tageszeitung „Alto Adige" vom 30.08.1987, S. 13.
-lm-, *Stiller Aufschrei eines Unikums.* In: Tageszeitung „Dolomiten" vom 01.10.1987, Bozen S. 17.
Edith Moroder, *Ausstellungen in Südtirol.* In: „Kulturberichte aus Tirol", Nr. 337/338, 42. Jahrgang, Innsbruck 1988, S. 27.
Carlo Girardello, *Contributo all'analisi dell'opera di Franz Noflaner.* In: „L'Brunsin", Nr. 68, St. Ulrich/Gröden 1988, S. 7–10.
Markus Vallazza, *Franz Noflaner.* In: Forum Ar/Ge-Kunst (Hrsg.), *Ar/Ge-Kunst-Jahrbuch 1985–1986–1987,* Museum Galerie, Bozen 1988, S. 88–89.
Guido Obletter, *Na Vita per l'ert.* In: „Calënder de Gherdëina", St. Ulrich/Gröden 1988, S. 58f.
Roland Kristanell, *In Memoriam F. J. Noflaner.* In: „FF – Südtiroler Illustrierte", Nr. 22, Bozen 1989, S. 68.
Gregor Prugger, *Eine Welt für sich.* In: „L'Brunsin", Nr. 80, St. Ulrich/Gröden 1989, S. 11.
L.G. *I disegni di Franz Noflaner.* In: Tageszeitung „Alto Adige" vom 13.07.1990, Bozen, S. 18.
Roland Kristanell/Wolfgang Thomaseth, *Wer war Franz Noflaner?* Filmporträt der Rai – Sender Bozen, 30 Minuten, 1990.
Roland Kristanell, *Der Dichter Franz Josef Noflaner.* In: „Sturzflüge.

Eine Kulturzeitschrift", Nr. 31, Bozen 1990, S. 4–10.
Alfred Gruber (Hrsg.), *Nachrichten aus Südtirol. Deutschsprachige Literatur in Italien*. Hildesheim, Zürich, New York 1990 (Ausländische Literatur der Gegenwart Bd. 4, hrsg. von Alexander Ritter), S. 5–22, 286.
Hans Georg Grüning, *Die zeitgenössische Literatur Südtirols. Probleme, Profile, Texte*. Edizioni Nuove Ricerche, Ancona 1992, S. 71–72.
Itinera. Verläufe der Kunst in Südtirol. Katalog zur Ausstellung der Autonomen Provinz Bozen in Schloss Maretsch und Halle 2 der Bozner Messe, Bozen 1995, o. P.
Erich Demetz, *La visions de F. Noflaner*. In: „Sonntagszeitung Z" vom 01.05.1999, Bozen, S. 7.
Alma Vallazza, *Kein Tätiger ist seiner brennenden Wünsche sicher. Franz Josef Noflaner (1904–1989)*. In: „filadressa. Kontexte der Südtiroler Literatur", Heft 1, Bozen 2001, S. 42–75.
Karin Dalla Torre/Ferruccio Delle Cave (Hrsg.): *alfred gruber. 30 Jahre literatur in südtirol*. Bozen 2001, S. 14, 85, 188.
Roland Kristanell, *Der Dichter Franz Josef Noflaner*. In: Markus Vallazza (Hrsg.), *Ich litt mich in die Freude ein*, Bozen 2002, S. 91–95.
Ingrid Keim, *Dominante Verfahrensweisen Südtiroler Schriftsteller und Schriftstellerinnen im Zeitraum von 1945 bis 1970. Materialien und Analysen*. Diplomarbeit, Universität Innsbruck 2002, S. 264.
Markus Vallazza, *Portraits/Ritratti 1956–2002*. Mit Texten von Peter Weiermair, Markus Vallazza. Bozen 2006 [Kohlezeichnungen bzw. Radierungen zu F. J. Noflaner], S. 19, 32, 33, 37.
Peter Weiermair, *Freunde, Verwandte sowie Wahlverwandte: Überlegungen zu den Portraits von Markus Vallazza*. In: Markus Vallazza, *Portraits/Ritratti 1956–2002*, Bozen 2006, S. 5.
Renate Maruschko und Alma Vallazza (Hrsg.), *Markus Vallazza, Das Radierwerk 1966–1978*. Wien Bozen 2007, Bd. I [Radierungen/Porträts zu/mit F.J.N.], S. 148, 284, 331, 334, 338; Bd. II, S. 333.
Marion Piffer Damiani, *Bildende Kunst in Südtirol seit 1945*. In: Paul Naredi-Rainer/Lukas Madersbacher (Hrsg.), *Kunst in Tirol vom Barock bis in die Gegenwart*, Bd. 2, Bozen 2007, S. 732, 750.
Wünschen, blicken, staunen. Franz J. Noflaners Werke der 60er bis 80er Jahre werden neu entdeckt. In: Tageszeitung „Dolomiten" vom 10.08.2012, Bozen, S. 18.
Wahnsinnige Kunst. In: „Neue Südtiroler Tagezeitung" vom 17.08.2012, Bozen, S. 23.

Sgarbi tl Museum Ladin. In: „La Usc di Ladins" vom 24.08.2012, St. Ulrich/Gröden, S. 22.

Georg Mair, *Ich male also bin ich.* In: „FF – Das Südtiroler Wochenmagazin", Nr. 36, Bozen 2012, S. 62f.

Noflaner mal zwei. In: „Neue Südtiroler Tageszeitung" vom 26.10.2012, Bozen, S. 27.

Wünschen, blicken, staunen. In: „Das Land Südtirol", 21. Jahrgang, Bozen 2012, Heft 10, S. 23.

Literarischer Frühling, Literatur Lana startet sein literarisches Frühjahrsprogramm mit einer Lesung aus den Schriften von Franz Josef Noflaner und einer Buchvorstellung. In: „Neue Südtiroler Tageszeitung" vom 21.02.2013, Bozen, S. 20.

Katharina Moling, *Studien zu Franz Josef Noflaner (1904–1989). Portrait und Werkverzeichnis.* Magisterarbeit, eingereicht am Institut für Kunstgeschichte, Universität Wien 2016.

Internetquellen
Stand: Mai 2016
https://de.wikipedia.org/wiki/Franz_Josef_Noflaner
http://orawww.uibk.ac.at/apex/uprod/f?p=TLL:2:0::::P2_ID:542
http://digital.tessmann.it/tessmannDigital/Literatur/Suche;jsessionid=CCF9913FA116A40AC99CE431AA67DEB9?query=Noflaner&filterF_type=Story

Autoren

Markus Klammer

Studium der Geschichte, Germanistik, Kunstgeschichte und Philosophie an der Universität Innsbruck; Dr. phil., Oberschullehrer; 1986 bis 1991 Vorstandsmitglied des Forums Ar/Ge Kunst – Museumgalerie, Bozen; 1995 bis 1998 Gründung und Leitung des Kunstvereins Bozen; Projektarbeit für verschiedene Museen; Kunstkritiker, Herausgeber und freier Ausstellungskurator; Ausstellungen und Publikationen (Auswahl): *Dimension Schweiz 1915 – 1993; Gerhard Merz; Joseph Beuys; Blinky Palermo; Hugo Vallazza; Heinz Gappmayr; Franz Josef Noflaner; Gianpietro Carlesso.*

Elmar Locher

Prof. Dr. Elmar Locher lehrt Deutsche Literatur an der Universität Verona. Seine Forschungsschwerpunkte sind Memoriatheorie, Gattungsfragen und die Beziehungen Geld/Literatur von der Frühen Neuzeit bis zur Gegenwart. Publikationen (Auswahl): *„Curiositas" und „Memoria" im deutschen Barock* (Prokurist 4), Lana, Wien 1990; *Die kleinen Formen in der Moderne* (Hg.), Bozen, Innsbruck, Wien 2001; *Franz Kafka* Ein Landarzt *Interpretationen* (hg. zs. mit Isolde Schiffermüller), Bozen, Innsbruck, Wien 2004; *Der Schatten der Hand. Zu sichtbaren und unsichtbaren Händen in Literatur und Kunst*, Bozen, Innsbruck, Wien 2010; *Archäologie der Phantasie* (hg. zs. mit Hans Jürgen Scheuer), Bozen, Innsbruck, Wien 2012; *Italienischer Faschismus und deutschsprachiger Katholizismus* (hg. zs. mit Richard Faber), Würzburg 2013. Zahlreiche Aufsätze zur Literatur des 17., 19. und 20. Jahrhunderts.

Verena Zankl

1980 in Lienz geboren; Studium Germanistik und Fächerbündel (Medienkunde, Komparatistik, Psychologie, Soziologie) an der Universität Innsbruck; Mag. Dr., freie Korrektorin/Lektorin und Mitarbeiterin des Forschungsinstituts Brenner-Archiv Innsbruck; Forschungsbereiche: Editionsphilologie, Brieforschung, Literatur der Nachkriegszeit und der 1950er-Jahre und 1960er-Jahre in Österreich, Literatur in Südtirol.

Impressum

Diese Publikation erscheint im Auftrag von:

Istitut Ladin Micurá de Rü
St. Martin in Thurn

„Betrieb Landesmuseen"
Museum Ladin Ciastel de Tor
St. Martin in Thurn

© 2016 **HAYMON**verlag
Innsbruck-Wien
www.haymonverlag.at

© der Textbeiträge bei den AutorInnen

Auflage:
4   3   2   1
2020 2019 2018 2017

Alle Rechte vorbehalten. Kein Teil des Werkes darf in irgendeiner Form (Druck, Fotokopie, Mikrofilm oder in einem anderen Verfahren) ohne schriftliche Genehmigung des Verlages reproduziert oder unter Verwendung elektronischer Systeme verarbeitet, vervielfältigt oder verbreitet werden.

ISBN 978-3-7099-7244-1

Herausgeber: Markus Klammer
Lektorat: Rudi Schweikert, Haymon Verlag
Umschlag- und Buchgestaltung, Satz:
Gruppe Gut Gestaltung

Schuberabbildungen
Vorne: Franz Josef Noflaner, Ohne Titel, 1969, WV 105
Hinten: Textcollage aus Typoskript
Frontispiz: Markus Vallazza, *Franz Josef Noflaner*, 1975, Federzeichnung laviert

Bildnachweis:
Die Vignetten von Franz Josef Noflaner stammen aus dem Nachlass,
Dokumentationsstelle für neuere Südtiroler Literatur
und aus Privatbesitz
Frontispiz: © Markus Vallazza, Foto Augustin Ochsenreiter

Die Drucklegung erfolgt mit freundlicher Unterstützung

der Abteilungen Ladinische Kultur und Museen
der Autonomen Provinz Bozen - Südtirol

der Kulturabteilung des Landes Tirol

der Firma Finstral, Unterinn/Ritten

Gedruckt auf umweltfreundlichem,
chlor- und säurefrei gebleichtem Papier.